スタンフォード発
企業にイノベーションを起こす

カイゼン4.0

一般社団法人日本カイゼンプロジェクト会長
株式会社柿内幸夫技術士事務所代表

柿内幸夫

ワニ・プラス

はじめに

「わたしは中小の製造業でカイゼンの指導をしているコンサルタントです」

こう自己紹介すると、返ってくる反応は2通りあります。

1つは「カイゼンというのは『乾いた雑巾を絞る』という、昔から日本の製造業がやってきたものですよね。IT時代の今、そんな相変わらずのやり方に意味がありますか?」というものです。もう1つは「これからの時代に向けたカイゼンは専門家の方々がやることでしょう。わたしたちのように日常業務に専念している素人にできるものではありませんよ」といったものです。

前者はカイゼンを古臭いものととらえた反応、後者は普通の人にはできない専門的なことと思い込んでいる反応だといえます。

しかし、わたしが手がけている柿内式カイゼンである「**カイゼン4・0**」はそのどちらでもありません。

第3章で詳しく触れますが、わたしは大学卒業後、日産自動車に勤務し、一貫して現場のカイゼンを担当してきました。社内留学制度により、1979年から2年間米国スタンフォード大学大学院エンジニアリングスクールで最新の生産効率改善（IE）を学びました。日産自動車では現場で手足を使い、カイゼンをすることが仕事でしたが、大学院では手足ではなく頭を使ってシミュレーションしたり、計算式に置き換えたりすることに驚かされました。ところがその後、ゼネラルモーターズ（GM）のフリーモント工場に見学にいったら、床は油だらけでゴミだらけ、カイゼンの形跡は見られない。明らかに日産自動車の仕事のやり方のほうが生産性も品質も格段に上でした。アメリカは理論はすごいけれど実際の現場はダメ。一方の日本は現場はすごいけど、理論はあまり重要視されていない。理論と現場の両方のいいとこ取りをして、仕事に生かすべきではないかと考えました。

帰国後は日産のIE責任者として全国の主力工場を指導してきました。そして1991年に改善コンサルタントとして独立して以来、自動車、家電、食品、IT関連メーカーなど、約400社に及ぶさまざまな中小メーカーの経営者や現場の方々と一緒になって悩み考えたことと、スタンフォードで学んだ知見を融合させたのが、カイゼン4・0なのです。

昔のいわゆるカイゼン、「カイゼン1・0」は個人や職場ごとのカイゼンにとどまっていました。次の段階の「カイゼン2・0」は能率向上を目的とし、複数の職場で協働するカイゼン、さらに、「カイゼン3・0」は日産のゴーン改革のように、部門横断的な知のすり合わせによって深化したカイゼンです。

そして本書でご紹介する「カイゼン4・0」は、社長など経営トップが、現場で働く人々と同じ目線に立ち、一体となって、現場・現物のなかにある真の問題とカイゼンの宝を発掘するところから始まります。そして、会社にいるすべての人が例外なく持っているカイゼン力を掘り起こし、火をつけて目覚めさせ、その力を活用して、これからの時代を乗り切っていく経営改革を起こす全組織協働型のカイゼンなのです。

わたしが指導している会社では生産現場のカイゼンから異分野のヒット商品が生まれたり、まったく新しいマーケットを発掘できることも少なくありません。そういう成果をすでに上げている会社の事例も第2章で具体的に説明していきます。本書で紹介するこのシンプルなカイゼンの方法をより多くのモノづくりをしている中小企業の方々にご理解、そして実行していただき、品質を上げ、生産性を上げ、納期を短縮し、新商品を開発し、新たなマーケットに進出して、今の厳しい時代を勝ち抜いていただきたいと思っています。

また、本書で紹介する方法は、家庭や事務所などにおいても応用可能です。日常生活のなかで、幅広く活用していただければ幸いです。

【事例 #2】

自動車部品メーカーがリーマンショックをきっかけに会社構造を変え、まったく異業種の新商品を開発

大塚産業マテリアル株式会社

【事例 #3】

売り上げ半減で倒産直前の樹脂成形メーカーが、全員参加のカイゼンで過去最高の利益を達成

天昇電気工業株式会社

【事例 #4】

株式会社パーツ精工

海外を含む全工場で一緒にカイゼンをし、生産能力やリードタイム短縮などの技術力を向上させ、売り上げを伸ばした精密機械加工メーカー

【事例 #5】

株式会社A製菓

協力メーカーも交えたカイゼンで商品を美味しくし、売り上げ大幅アップを実現

第1章

製造業の退潮と新時代の到来

日本の製造業の退潮と厳しさを増す環境

かつて、日本の製造業が世界のモノづくりの先頭を走っていた時期がありました。当時はQ（Quality 品質）、C（Cost コスト）、D（Delivery 納期）が競争力のベースとされ、これらの現場カイゼン力が大きな役割を担っていたことをご記憶の方もおられるでしょう。この時代には、小さく、軽く、音も素晴らしい画期的な音楽端末であるウォークマンや、丈夫で抜群の基本性能（走る・止まる・曲がる）を誇るコンパクトカーなど、日本の技術力の粋を集めた数々の商品が世界的にヒットし、高い収益力を誇っていました。しかし残念なことに、現在の日本の製造業にあのころの勢いはありません。

取り巻く社会環境も、当時とはまるで違います。

少子高齢化が進行したことで、労働人口は急激に減少しました。当然、現場労働力は質・量ともに不足傾向が進み、技能伝承という問題も深刻さを増しています。

今、多くの生産現場を支えているのは、日本語を理解しない外国人や、日本人であっても経験の少ない派遣社員というのが現実です。その一方で定年退職による世代交代も進んでおり、人材不足問題も技能伝承問題も解決することがますます困難になっているといえるでしょう。
厳しさを増すこうした環境のなかで、技能伝承への取り組みをあきらめたという会社は少なくありません。長年、現場力を高めてきたカイゼン活動もすっかり衰退してしまい、現在はやめているという会社も多く見かけます。
とりわけ、この状況を深刻にとらえているのは、中小のモノづくり企業の経営者でしょう。みな、これからの経営のあるべき姿や体質改善の進め方に悩み、模索する時代になっているのです。

それだけではありません。市場そのものも大きく変化しました。

かつて「つくれば売れる」という**プロダクトアウト**の時代、モノづくりは少品種大量生産であり、非常にシンプルだったといえるでしょう。現場カイゼン活動では、QC（Quality Control 品質管理）サークルのような、現場の小集団が品質や能率向上を議論し管理する活動が、生産能力の拡大、収益向上に貢献しました。高品質の代名詞といえる"Made in Japan"の名声を確立したのは、その成果といえるでしょう。

やがて品種が増えていくにともない、モノづくりは市場の変化に応じる**マーケットイン**の多品種少量生産へと移行します。モノが売れることはわかっていても、どれが売れるのかはわからないという時代になりました。

この時代の日本で開発されたのが、トヨタ生産方式に代表される、売れたモノを短時間でつくり、補充する生産方式です。顧客を待たせず、なおかつ、在庫を増やさないで注文に応えるための工夫でした。この現場カイゼン活動によって生産リードタイムの短縮が進み、日本の製造業はついに"Japan as No.1"という評価を得るに至ります。

しかしその後、市場はさらに変化しました。

プロダクトアウトからマーケットインへの移行の荒波を乗り越えてきた優秀な会社でさえ、今は厳しい状況に陥っている例があります。これまで絶大な力を発揮してきた、**5S**（整理・整頓・清掃・清潔・しつけ）や**ムダ取り**、**不良低減**、あるいは**生産リードタイム短縮**といったカイゼンだけでは生き残れなくなっているといっていいでしょう。実際、こうした活動を長年積極的におこなってきたレベルの高い工場でも、今や昔のようには売れない、または、売れても儲からなくなっているのです。

こうした状況で、現場は日々の生産出荷だけでもかなりギリギリです。現場監督者も追い詰められた状態でのやりくりを余儀なくされています。その結果、すでに少なくない数の中小零細企業が、倒産や継承者不足によって、この国から姿を消してきました。日本国内では無敵と思われる実績を上げている企業も、もはや他人事ではありません。懸命な努力を続けている社長自身が、内心では「このままではダメかもしれない」と不安を抱いていることも多いのです。

この国が、再び世界をリードするモノづくり力を手に入れるには、どうすればいいのでしょうか。これまで培った現場カイゼン力だけでは足りないのは明らかです。日本が生んだこの大切な財産を維持しつつも、新たな切り口のカイゼン、さらには変革が求められています。

わたしたちは、今、そういう時代を迎えているのです。

これからの「良いモノ」は機能品質だけに注目してはつくれない

それでは、これからはどういう時代になるのでしょうか？

これからの消費者は、すでに必要なモノはすべて持っていると考えるべきでしょう。だから当然「本当に欲しい」と思うモノ以外には興味を示しません。そして興味を抱いたとしても、値段が高ければ買わないでしょう。

アイリスオーヤマの大山健太郎会長は「**これからの時代は、これまでのマーケットインの時代の考え方では対応しきれず、個別ユーザーが持つ潜在需要を積極的に引き出すユーザーインで対応しないといけない**」といっています。

お客様の多様な要求やいろいろな条件に対応するのはもちろんのこと、そこから生まれる多くの可能性も即座に読み取り、応じる力が重要になるということでしょう。

これまで日本では「良いモノをつくれば売れる」といわれてきました。

ここで想定されている「良いモノ」とは、一言でいえば、機能品質の高いモノだったといえます。だからこそ、品質とコストの競争力を高めるモノづくりがおこなわれてきたのです。

しかし、これからの「良いモノ」はそうではありません。

機能品質が良いことは当然の前提としたうえで、その先にある魅力品質で勝負をする時代になっているのです。

たとえば、自動車業界における品質評価を見てみましょう。

J・D・パワー（米国の顧客満足度調査会社、J. D. Power and Associates）による自動車初期品質調査の結果を見ると、近年、品質に対する評価が機能品質中心から魅力品質へとシフトし、その結果、日本車が以前のようなダントツの品質評価を得られなくなっている現状がよくわかります。

2011年の初期品質評価でベスト3はすべて日本の会社で、ベスト10以内に6社が選ばれています。当時の米国における日本車の初期品質評価は抜群だったといえるでしょう。ところが2019年版を見ると、状況は一変しています。ベスト3はすべて韓国の会社。日本はベスト10に3社登場していますが、いずれも7位、9位、10位と下位に留まっています。

これはどういうことなのでしょう。

「走る・止まる・曲がる」という自動車に求められる基本性能の高さで、かつて日本車は他国を圧倒的に凌駕していました。しかし、他国の車も基本性能が向上し、近年ではもう大きな違いはなくなってきています。つまり、走りの良さでは品質の差がつかなくなっているのです。

米国自動車初期品質調査SM（IQS）

（100台あたりの不具合指摘件数）単位：PP100　＊印は日本車

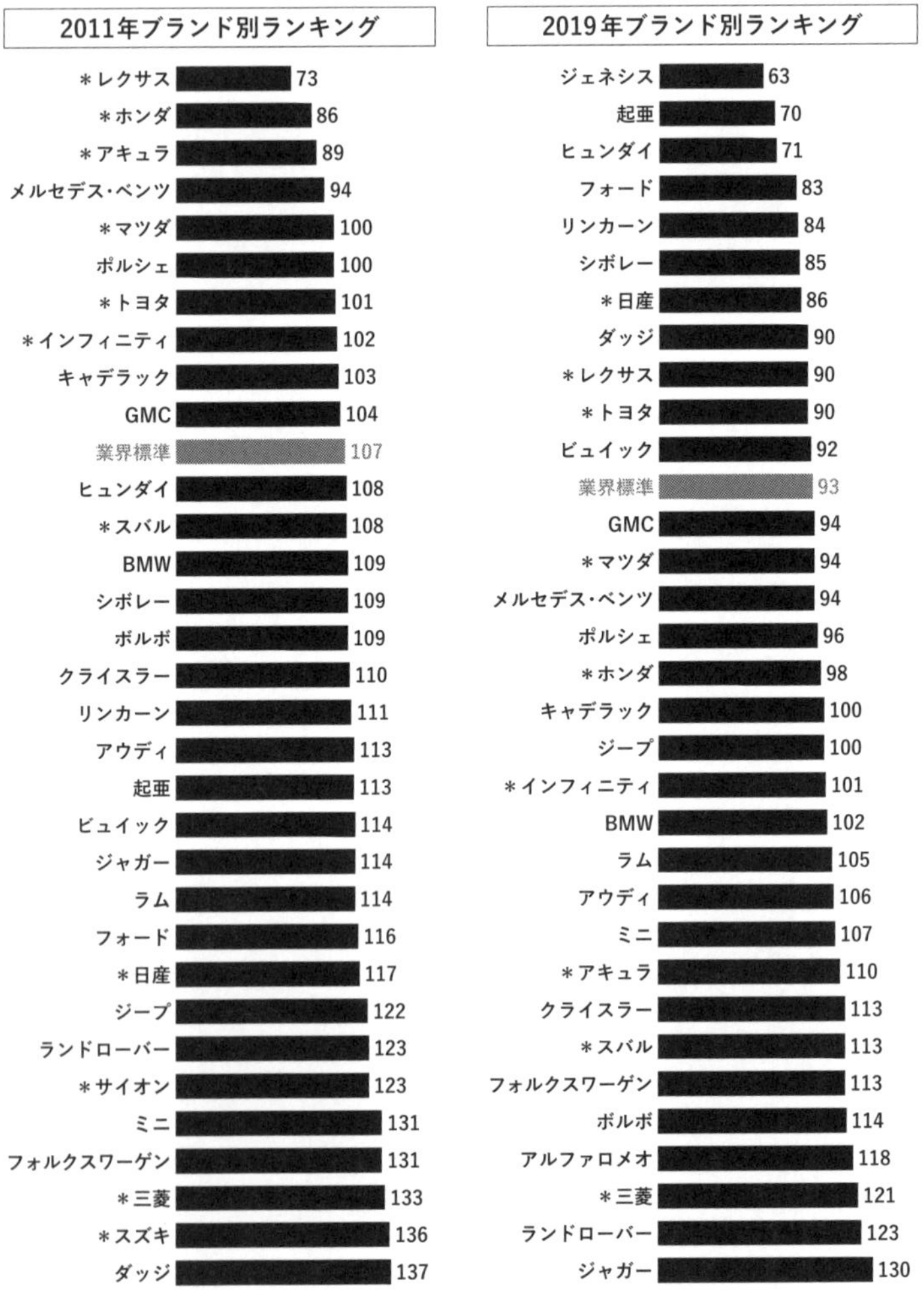

（出典：J.D. パワー・アンド・アソシエイツ 米国自動車初期品質調査SM（IQS）2011 年および 2019 年）

現在、消費者が評価しているのは、カーナビの使い勝手や運転支援システムのレベルといった、これまで**魅力品質**といわれてきたところです。ここからも「良いモノ」の定義が変わっていることがはっきり見て取れます。

現場に目を移してみましょう。

日本車が評価のトップを占めていた当時、現場カイゼン力の強さは、効率的に経営に反映されていました。

上手《うま》くいっていた一因は、馬力を上げる、ガソリン1リットル当たりの燃費を何キロ伸ばす、といった機能品質の改良目標は、具体的な数値目標に置き換えることができたからだといえます。設定された目標が数値化できるので、製造に関わる現場のメンバー全員が知恵を出し合い、現場のカイゼン活動を進めながらゴールに向かうことができたのです。

しかし、これからはそれだけでは足りません。**機能品質の高さは前提としたうえで、魅力品質をお客様の立場に立って磨いていく時代になったのです。**

ユーザーインでモノをつくるマス・カスタマイゼーション時代

では、これからわたしたちが迎える、魅力品質をお客様の立場に立って磨いていく時代にどう立ち向かえばいいのでしょうか。

これからのモノづくりは、顧客ニーズを発掘する段階から競争が始まることになります。たとえば、日本の中小の製造業の多くは、これまで原材料投入から製品完成までを守備範囲としてきました。しかし、これからは、いち早くユーザーニーズを探りあてて商品化し、迅速に生産して、お客様に届けて喜んでもらうまでを「モノづくり」の守備範囲とすることが求められる時代になったといえるでしょう。

この新しい「モノづくり」においては、これまで経営の中心であった生産技術力と現場カイゼン力に加え、商品開発力、設計力、営業力といった会社全体のリソースを結集する必要があります。そして当然のことですが、このすべてに経営者は目を配り、全体最適の動きになるよう、導いていくことが求められるのです。

お客様の近くでニーズを探るということは、マーケットインの時代よりもさらにお客様の個別の要求を叶える、ユーザーインのモノづくりが必要になると考えられます。この状況を指し示す言葉として、アメリカでは**マス・カスタマイゼーション**（mass customization）という言葉が生まれました。

マス・カスタマイゼーションの時代では、市場は限りなく個別対応の方向に向かうことになります。さらに、消費者はすでに十分なモノを持っていますから、本当に気に入ってもらえるモノでなければなりません。なおかつ、価格も考える必要があります。おそらくは、大量生産品と同等のリーズナブルな価格でないと買ってもらえないでしょう。また、個別対応のカスタム商品だから、とお客様を待たせることもできません。たとえ1つといえども、注文を受けたら、短時間で届けることが求められます。

このようなモノづくりを実現するためには、注文〜設計〜調達〜生産〜販売の全体のリードタイムの短縮が欠かせません。つまり、これらの工程に関わるすべての人が協力し合い、これらの技術を積極的にカイゼンしていくことが求められているのです。

いわば、**マス・プロダクションの時代から、マス・カスタマイゼーションの時代へと市場とモノづくりが変化しているの**だといってもいいでしょう。

これを生産の側面から見れば、消費者の個別・多様な要求に対応するにあたっても、大量生産時並みの低コストとこれまで以上の短納期でのモノづくりを創意工夫によって達成しなくてはならない、ということになります。

これがマス・カスタマイゼーション時代のモノづくり像です。

これからの時代に求められるのは、お客様の要望を取り入れた商品を次々と短期間に開発し、注文を取り、短時間に生産し、販売することです。生産においては、製品の種類やカスタマイズの自由度、ロットサイズなどを幅広く、柔軟に対応することになるでしょう。

これは、これまで多くの現場がやってきた多品種少量生産の延長線上のカイゼンのやり方で対応できるものではありません。まったく新しい切り口を考える必要があるのです。

「将来の経営はこれまでの経験の延長線上にはない」という覚悟

じつは、マス・カスタマイゼーションという概念が、最近急にいわれるようになった背景には、デジタル技術の急激な進歩があります。

その一例が3Dプリンタです。この画期的な技術の登場で、どんなに複雑な形状の立体でも、1個1個別々のモノを順番につくることが可能になりました。つまり、3Dプリンタは「ロットサイズが小さいから儲からない」といった議論を過去のものにしてしまう可能性を持つ技術なのです。

その他、センサー技術の進歩によって、さまざまな現場情報を容易に、タイムリーに取得できるようにもなっています。さらにはＡＩ（人工知能）、ＩｏＴ（Internet of Things モノのインターネット）、Big Data（ビッグデータ）処理といった新しい情報技術も、製造技術の常識を急速に変え始めているのです。

ユーザーインのモノづくりを実現するためには、こうした新しいテクノロジーに対応できる技術力が求められます。少なくとも、これらの画期的な情報技術や製造技術の要点を理解しておき、必要に応じて、活用、展開できるだけの知恵と技術を持たなければ、マス・カスタマイゼーションの時代に競争力を高めることは難しいといえるでしょう。

しかし、このような総合的情報技術の導入の面でも、日本は欧米と比べて大きく後れを取っているといわれています。

ここまで、日本の製造業に起きている変化を大まかに見てきました。

総合すると、現在起きている変化が一過性のものでないことは明らかです。これは、わたしたちを取り巻く経営環境が変化した結果なのだと考えるべきでしょう。つまり、嵐が過ぎ去るのを待つような姿勢では決して乗り切ることはできない状況にあるのです。

経営者は、この環境の変化を受けて立たなければなりません。

そのためには「これまで、ずっとこのやり方でやってきた」という成功体験は捨て、すべてを一から見直すつもりで経営改革を実践する必要があります。

これまでの経験の延長線上に将来の経営はない。

こう肝に銘じるほどの覚悟が欠かせないのです。

昨今のマスコミの報道では、日本が遅れているモノ、できていないモノを取り上げる悲観的な情報があふれています。しかしマイナス面を批評しているだけで終わっていたら意味はありません。遅れているのなら、その遅れを取り戻す方法は何だろう、と前向きに問いかけるべきでしょう。

では、具体的にどうやったら、これからのユーザーイン時代に合わせた体質改善ができるのでしょうか。従来のカイゼンだけでは不十分なことは間違いありません。そこに留まることなく、新たな体質改善のやり方を採り入れなくてはならないでしょう。さらに、資金も人材も豊富とはいえない中小製造業でも対応できるものでなくてはいけません。

その新しい時代に求められる新しいカイゼン、カイゼン4・0について、次章から考えていきます。

第2章

カイゼン4・0
5つの成功事例

第1章では、現場を中心としたカイゼンで力をつけた日本の製造業が、時代の変化とともに思うような収益が上げられなくなっている現状についてお話ししました。

モノづくりを手がける多くの会社にとって、現場のカイゼンを勤勉に実行することで成果を上げられたのは、プロダクトアウトからマーケットインの時代までだったと思います。

しかし、今はもうユーザーインの時代に突入しています。この新しい時代においては、これまでの技術力に加え、お客様を喜ばせる商品を創り出す創造力が必要になるはずです。従来の代表的なカイゼン手法である**5S**や**ムダ取り**は、基本的には工場内の不要なモノを取るものでした。これからの時代に対応するためには、お客様が喜ぶモノを生み出すカイゼンが必要になるでしょう。

この新しいカイゼンについて詳しく説明する準備として、この章ではまず、わたしが実際に手がけているカイゼン事例をご紹介します。

わたしが指導している会社は大手企業ばかりではありません。むしろ、ほとんどは中小企業です。中小企業ですから、もちろん大企業に比べて、人材や資金は大いに不足しています。しかし、中小だから、小さく、弱いとは限りません。むしろカイゼンによって、小さな組織ならではの潜在的な力を顕在化させ、フルに発揮して、世の中の変化に負けない大きな成果を生み出している事例が数多くあります。

すでに述べたように、ユーザーインの時代に対応するためには、従来的なカイゼンだけでは足りません。それに加えて、経営革新につながるカイゼン4・0を実行する必要があります。

本章でご紹介するのは、それを実践した成功事例です。トラック架装メーカー、自動車内装部品メーカー、樹脂成形メーカー、精密機械加工メーカー、大手高級菓子メーカーの5社それぞれ業種も事業も異なりますが、そのすべてが、本書の提示する柿内式の新しいカイゼン4・0によって、ユーザーインの時代に必要な経営改革を実現していることを実感していただけると思います。


欧米企業であれば、こうした経営改革は、その道の専門家や学者、あるいはコンサルタントや専門のエンジニアがいる外部機関に依頼するのが普通です。しかし、これらのカイゼン活動は、技術や経営を学んだ専門的な知識を持つ従業員や外部の専門家に頼った結果ではありません。実際に活躍された方々は、すべて普通の従業員ばかりです。

経営者を筆頭に、会社に関わるすべての普通の人たちが、現場で現物を前にしてワイワイガヤガヤ話し合ったり、チョコっとしたカイゼンのアイデアを実行したり、という小さな積み重ねでカイゼンの面白さに目覚め、結果として、大きな変革を成し遂げているのです。これも日本発のカイゼンの面白いところだといえるでしょう。

もしかしたら「信じられない」と思われる方もおられるかもしれません。

世の中に蔓延している、製造業に対する悲観的な一般論とはまるで違う話ばかりですから、それも当然でしょう。しかし、すべて実際の例です。

会社にいるすべての人が例外なく持っているカイゼン力を活用すれば、これからの時代に対応できる経営改革を起こすことができます。日本発の手法であるカイゼンには、その力がある。事例をお読みになっていただければ、そのことを実感できるはずです。

なお、事例の文中に「**KZ法**」および「**チョコ案**」という言葉が登場します。耳慣れない言葉かもしれませんが、順番にお読みいただければ、その概要はつかんでいただけるはずです。のちほど第3章で詳しくご説明します。

【事例 #1】

地方のトラック架装メーカーが トラック荷台の新用途を製品化し、 全国レベルのサービス業に 進出したイノベーション

・

株式会社 いそのボデー

本社所在地　山形県山形市西越25番地

設立　1964年

資本金　3630万円

従業員数　90名

業種　トラックボデー架装及びメンテナンス業

工場　山形県山形市

キーワード　商品開発、マーケット開発、現場カイゼン、5S、工場のショールーム化

1　カイゼン前のいそのボデーの様子と社長の考え

いそのボデーは山形市にあるトラックの車体架装とメンテナンスをおこなう会社です。

この業界では、日野自動車やいすゞ自動車といったトラックメーカーが生産を手がけるのはキャブ（運転席部）とシャーシ部分の車体生産だけで、それを顧客の要望に応じてバンボデーや保冷車といった形に仕上げるのはトラックボデー架装業者という、長年の棲み分けがありました。しかし近年、トラック需要が右肩下がりの状況になったことで、この慣習は変わりつつあります。トラックメーカーが直接、架装部まで手がけるようになり、そうした架装の仕事の多くがメーカー直属の下請け会社に流れるようになったのです。

ボデー架装前はシャーシ部がむき出し。

いそのボデーは、メーカーとの直接のつながりを持ちません。社長の磯野栄治氏は今のうちに何らかの優れた特長を持ち、差別化を図らないと、どんどん仕事が減り、倒産の恐れさえあると強い危機感を持っておられました。

さらに、トラックは国からの補助金がある時期に需要が集中するという特徴があります。お客様の多くが補助金の下りる時期を前提に納期を設定するため、架装メーカーにとっては、いくら厳しくとも間に合わせることが必須になるのです。しかし補助金のある需要集中期は、メーカーからのトラック車体搬入も遅れがちになります。結果的に、納期厳守のしわ寄せはいそのボデーのようなトラックボデー架装業者に及ぶ構図になっていたのです。

その結果として、従業員たちは長時間残業や休日出勤を余儀なくされていました。それだけでなく、そこまで必死に生産しても、利益がほとんど出ないという悪循環にはまっていたのです。従業員に過剰な負荷をかけても利益に結びつかないという状況に、磯野社長は大きな危機感を持っておられました。

当時のいそのボデーの抱えていた問題点は次のようなものです。

・仕事はあるが、市場価格は下がる一方
・仕事が複雑化し、コストが上昇している

・利益が以前のようには出せない状況になっている
・数年後には県内の仕事は激減する
・従業員に若い人がおらず、高齢化が進んでいる

社長はこうした問題点をすでに意識していました。そして、これらの問題が顕在化する前に、会社を変革する必要があると考えていたのです。これを成し遂げるには、全従業員の協力が欠かせません。そこで2011年11月にわたしにカイゼン活動の支援を求めました。

初めていそのボデーの現場に足を踏み入れたときの強烈な印象は、今でもはっきり覚えています。

夜の遅い時間だったにもかかわらず、現場にはまだたくさんの方々が働いておられました。誰1人帰っておらず、全従業員がいるのではと感じたほどです。そして、現場には足の踏み場もないほどさまざまなモノが散らかっていました。作業者1人ひとりの動きは素早く、一生懸命に働いているのです。しかし作業中の行ったり来たりの動きが多く、本来の付加価値作業が少なくなっているとも感じました。

2 KZ法とチョコ案の実行

社長は、全員参加のカイゼン活動を思い描いていました。そこでわたしは「カイゼン4・0」の基礎である**KZ法**をまず実施しました。

KZ法とは「カイゼン」の頭文字Kと、「全社」の頭文字Zを取ったカイゼンの方法です。KZ法では、参加者全員が30枚程度のカードを持ち、指定された現場内にある1ヶ月以内につかわないモノや問題があるモノに貼ってもらいます。その後、現場外にそれらのモノを運び出して、「不要」「不急」「必要だが問題あり」に分類するという手順です。分類は、不要や不急と判断した理由や、そうなった原因を参加者みなでワイワイガヤガヤと話し合い、分析してもらいながら進めます。

社長、役員、管理監督者を中心にした15人ほどの参加者に、現場の一部に集まってもらい、KZ法を進めました。

この段階で、いくつかのことがわかりました。

1つは「**今必要なモノ**」**よりも**「**いつかはつかうだろうが、今はつかわないモノ**」**のほ**

うがずっと多いという事実です。

もう1つは、**生産計画が注文情報とリンクしていない**という問題でした。

現場で生産に遅れが出ても、挽回する指示と方法が現場に伝わっていなかったのです。その結果、生産遅れによるボデーの滞留が多くなり、工場内の作業動線が長くなっていました。これは生産性を下げ、納期が遅れるという悪循環の一因になります。

このような問題は、製造の現場だけでは解決できません。営業や設計、調達、管理など、モノづくりに関わるすべての部門で対応することが必要です。

磯野社長も、このカイゼンは全員で取り組むべきとの確信を深めてくださいました。

それ以外にもカイゼンするべき点はあったのですが、まずは**5S**（整理・整頓・清掃・清潔・しつけ）を、しっかりやるところから始めることにしました。

きちんと実行するには、社長を含めた現場のみなさんに5Sを具体的に知っていただく必要があります。そこで整理・整頓・清掃の3Sで有名な大阪の株式会社山田製作所を見学することに決めました。山田製作所の3S見学会は、朝の7時半現地集合です。いそのボデーのみなさんは車3台に分乗し、夜中に山形の工場を出発して、朝の会合に間に合わせました。社長も含めた全員で運転を交代しながら、明け方まで走ったといいます。いざというときには、社長も含めた全員がフラットな助け合いの組織になる、いそのボデーの強みを見た思いがしました。

3S見学会も多くの収穫がありました。

磯野社長の印象に残ったのは、山田社長のリーダーシップだったそうです。社長以下、社員全員が一体となっていることが、山田製作所の経営に結びついていると感じたといいます。それに対して、いそのボデーは社員全員はそれぞれ一生懸命な一方で、連携が弱く、バラバラで部分的になっていたと思ったそうです。

その後、いそのボデーでは、常に社長と役員が参加する形で、KZ法を活用した整理・整頓活動を継続しました。その過程でチャレンジした「2015年度掃除大賞」では、経済産業大臣賞を受賞しています。こうして、現場の環境は少しずつ良くなり、さらなるカイゼンを始める下地が整っていったのです。

いそのボデーでは、KZ法に加え、**チョコ案**も実行しました。**チョコ案とは、従業員全員が実行したカイゼンを毎月、用紙に記入して報告するものです。**全員が毎月1件以上のカイゼンと聞くと、かなり難しいと思われるかもしれません。しかし、チョコ案は一般的なカイゼン提案とは違い、誰かのマネや小さな修理、**「工場の扉を**

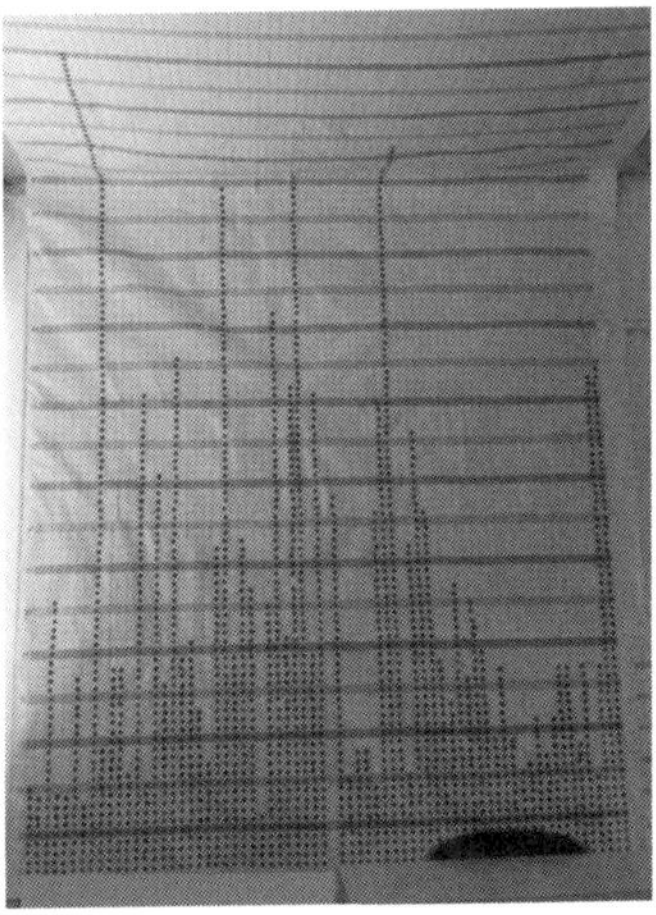

全員参加の「チョコ案」提案件数グラフ。

形跡表示板を使った工具の管理。

色分けする」など「チョコ」っとしたカイゼンでもOKです。しかも効果の大小も問わないという極めて緩いルールなので、実行するのは決して難しくありません。実際、いそのボデーでも8年以上継続して、社長を含む全員が毎月1件以上のカイゼンを実行し、報告しています。

提出されたチョコ案はすべて公開されます。社長も例外ではありませんし、社長のチョコ案の内容が特別扱いされるわけでもありません。日常業務は社長をトップとした業務組織でおこなわれますが、カイゼンの実行においては社長も管理職も一般従業員、パートタイマーもみな対等なのです。

KZ法とチョコ案を活用して少しずつ体制を整え、整理整頓の対象を生産の現場から、全社の事業に広げていきました。

改めて調べてみると、人手がかかるわりに利益が出ていない事業があることがわかったのです。いそのボデーでは、それまで自分たちの手がける事業そのものに疑いを持ったことはありませんでした。しかし、それほど遠くない将来の状況とそのとき起きうる問題を念頭に検討すれば、明らかにやめるべき事業が見つかったのです。そこで、本業に専念すべきであるとの考えからレッカー事業を廃止しました。

きれいに色分けされている工場の扉。

このような経営上の大きな方針転換がスムーズに実行できたのは、それまで全従業員がKZ法やチョコ案を活用したカイゼンを実行してきたからだといえます。社長がいくら強い危機感を持ち、会社の進むべき方向を示しても、社員たちにカイゼンを実行する力がなければ会社は変われません。しかし、このときのいそのボデーにはカイゼンを確実に実行する力が備わっていたのです。

3　全社でリードタイム短縮のカイゼンを開始

継続的なカイゼン活動は、経営上の優先順位も明確にしました。いそのボデーがお客様を喜ばせるために生み出す付加価値は納期の短縮、すなわち徹底的なリードタイムの削減であるという目標設定ができたのです。

しかし、現実は依然厳しいものでした。

トラックメーカーからの車体納入はますます遅れがちになり、退職するベテランを補う若手の採用は厳しさを増す一方。完成品をお客様に納入するまでのリードタイムは短縮するどころか、長くなっていたのです。

そこで、既存業務のレッカー事業廃止に続く2つ目の業務カイゼン目標を、**厳しい状況の下でも圧倒的なリードタイムの短縮を実現すること**、としました。

リードタイム短縮にもっとも効果的なのは、メーカーからの納入が早まることです。しかしこれは、いそのボデーだけでできることではありません。自社でできることを徹底的に探した結果、これまでの設計思想を根本的に変えることを決断したのです。

たとえば、これまではメーカーから車体（シャシ）が納入されてから、上側部分（ボデー）の組みつけ作業を始めていました。それを変え、車体が届くのを待たず、先に上側部分だけを完成させておき、車体が来たらそれを載せる、という手順にしたのです。

この設計変更は「**シャシレス**」活動と名づけられました。

次いで、お客様ごとの独自の設計をなくして標準化する「**設計レス**」活動、そして、溶接部をボルト化するなどの方法で専門技能なしでモノをつくる「**スキルレス**」活動も始まります。

この3つを総称して「**3レス活動**」と呼ぶこととし、その開発でリードタイムの短縮をおこなうことにしました。

いそのボデーの「3レス活動」

・専用の作業台座を製作することで、シャシが来なくても作業をスタートできるようになる　↓**シャシレス**

・あらかじめユニットごとの図面をつくっておき、組合せパターンだけで即座に設計が完了する　↓**設計レス**

・ユニットごとの仕様を定め、切断及び穴あけ位置、数、材質、長さ、厚さ、形状も決めて、半自動化を可能にする。同時に品質向上も図る　↓**スキルレス**

4 プロジェクト制のカイゼンを導入

シャシレス活動を最初に担当したのは設計部門でしたが、当初はなかなか実現できませんでした。設計に詳しい専門家集団であるがゆえに、どうしても過去の経験や常識から抜け切れず、「できない理由」ばかりが前面に出てしまうのです。

たしかに、同じ大きさのトラックでも、メーカーによってシャシの形やボルトの位置はすべて異なっています。それまでは現場で、現物に合わせ、調整しながら組み立てていたのです。それを突然「図面化しろ」といわれたのですから、さぞ難しかったことだろうと思います。

そこで、やり方を変えました。設計部門も含む全部署が参加してみなが現場で現物を前に自分のできることを議論し、カイゼンを実行するプロジェクト制にしたのです。

このカイゼン方式は「お互いに助け合える」という強い安心感が生まれるのが強みです。また、社長にも、従業員と対等の立場で参加していただきました。社長も含めたすべての人がアイデアを出す側になると、やらされ感がなくなり、モチベーションが上がるからです。そしてどんな些細なアイデアも必ず実行し、毎月のカイゼン発表会でビデオ撮影した実験結果を全員で共有。とにかく失敗を恐れず、前に進み続ける試みだったといえるでしょう。

すると、設計部門単独のときとは違い、ワイワイガヤガヤとしたやり取りの中で、これまで出てこなかったような具体的なアイデアが生み出され、ついには目標を達成することができたのです。

シャシレス活動の成果は目覚ましいものでした。

従来の工程では、メーカーからシャシが納入されると、下から順番にモノを組みつけていました。すると、最後に全体を塗装することになり、シャシの塗らない部分には丁寧にマスキングをしておく必要があったのです。しかしシャシレス方式では、部品段階で前もって色を塗っておけるので、手間がかかるマスキング作業が不要になります。その結果、コストも削減でき、リードタイムも10時間の単位で短縮されたのです。

またシャシが来たら、すぐに載せて接合すれば出荷できるため、工場に滞留する時間が半減。工場内の混雑も大きく解消されました。

続いて、営業部門が協力し、この方式を標準化していきました。

これまでの営業は、お客様に細かいご要望を聞き、そのすべてをできる限り実現するというやり方をしていたのです。それを、いそのボデーが前もって設計した安全レベルの高い標準品をお勧めするという方法に切り替えました。これは「設計レス」を進めるためのカイゼン活動です。

従来、ロープを引っかけるフックの位置まで細かに要望を聞くのが当たり前だった営業部門にとって、これはかなり思い切った変化だったことでしょう。しかし、やってみてわかったのは、お客様の多くがそこまでの細かさは求めておらず、こちらが自信をもって良いモノを提示するほうが良い結果になるという事実でした。

この設計レス活動で、設計工数が大幅に削減され、また、繰り返し使われる部品の標準化もすることができたため、生産性も上がり、リードタイムは8日から4日にまで短縮。品質、コストのすべての面でも大きな成果を生み出せたのです。

もし設計レス活動のプロセスが「設計部門が設計変更したので営業部門はこう売れ！」という指示の形でおこなわれたらどうだったでしょうか。

おそらく営業部門は反発を感じただろうと思います。少なくとも、これほどスムーズに移行することはなかったはずです。

しかし、今回は、設計を変えるすべての過程を営業部門も共有していたので、部門間に壁が生じることはありませんでした。つまり、これも全部門参加でカイゼンのプロジェクトを進めた成果だといえるでしょう。

同様に、これまで溶接でおこなっていた接合を可能な限りボルト留めに変え、溶接技能を持っていなくても組み立て作業ができるようにするスキルレス活動も進めました。この活動によって、新人やパートタイマーも含めた多能工化が急速に進展し、大きな成果を上げました。

なぜ、専門分野の集団に実現できなかったことが、各部門を集めたチームにできたのでしょう。

さまざまなケースがありますが、設計のように専門性が高く、常に忙しい部門が単独で引き受ける場合、実際には1人の担当者に委ねられてしまいがちだというのが、その一因だと考えられます。相談できる相手もなく、試行錯誤をする時間もゆとりもないなかでは、どうしても頭の中で考えるだけになり、「無理だろう」というネガティブな発想に陥りやすいのです。

しかし、**たとえ短時間でも、大勢が現場で話し合えば、さまざまな観点からのアイデアが飛び出してきます。**それだけでなく「ひとまずやってみよう」というポジティブな判断もしやすくなるのです。そこから現物を見ながら試行錯誤をしていくうちに、誰かから当初は全く考えていなかったようなアイデアが出てくる。これがこのカイゼン方式の最大のメリットなのです。

こうして、いそのボデーは絶対不可能と思われていたリードタイムの大幅短縮を実現しました。それだけでなく、大幅なコストダウンと品質の向上をも同時に手に入れることができたのです。

5 将来的なマーケット縮小に備えた新商品開発プロジェクト

架装の仕事においては、カイゼンが進み大きな効果が出ました。しかし、将来的な売り上げ減少への対策はこれだけでは不十分です。

マーケットの縮小にどう対応するか。これが次の課題でした。

考えたのは、現在のモノづくりの基盤を活用した新商品の開発です。この新商品によってマーケットを拡大するというわけです。製造、設計、営業、技術の若手社員から選んだ商品開発のプロジェクトチームを新たに立ち上げました。

プロジェクトチームが向かったのは現場です。**現在持っている技術のなかに新商品に結びつくモノがないか**を、全員で現場をくまなく歩き、探しました。すると、バンタイプのトラックのバンの部分を独立させればコンテナをつくれるのではないか、という意見が出たのです。

このアイデアに、自社開発したトラックの扉の自動開閉装置 iSkipDoor を組み合わせ、安全で軽いコンテナ保管庫「i-safety」が開発されました。

しかし、この新商品を誰が何のために買ってくれるかまでは考えていません。

まず、トラックに関連の深い建設土木関連の展示会に出展してみました。ところが、安全と軽量という特長はこの場ではまるで評価されず、逆に、商品の軽さがデメリットと判断されて値引き要請を受ける結果に終わったのです。

プロジェクトチームはもちろん落胆しました。この状況で「やっぱりダメか」とあきらめてしまう会社も少なくないでしょう。ところが、いそのボデーのみなさんはここから粘り腰を発揮します。利益の出る分野を探したのです。

放送機器展への出展を提案したのは、大坪武司常務でした。

これまでまったくつながりのない業界ですから、多くの社員は半信半疑だったことでしょう。しかし、この分野では、ゴルフ中継の放送・放映用器材管理や実況中継用スタジオの代わりにコンテナをつかうニーズがありました。そして、軽さと安全性の高さが高く評価されます。ここで求められたのは値引きではなく、品質の確保だったのです。マーケット選びの大切さを改めて思い知る出来事でした。

軽量で、盗難に対する安全性の高いこのコンテナの用途は、その後も広がり続けています。

その一例が、災害時の活用です。内装を充実し、内部で人が活動できるようにしたコンテナに、水や食料といった非常災害時に必要となるモノを大量に備蓄しておきます。いざ災害が起きたら避難所まで運搬して、備蓄物を外に搬出。空いた空間を、赤ちゃん連れのお母さん用の授乳施設としてつかうというものです。

こうした新しい発想によって、急速にマーケットが広がっていきます。

新入社員のアイデアから生まれたFUV。

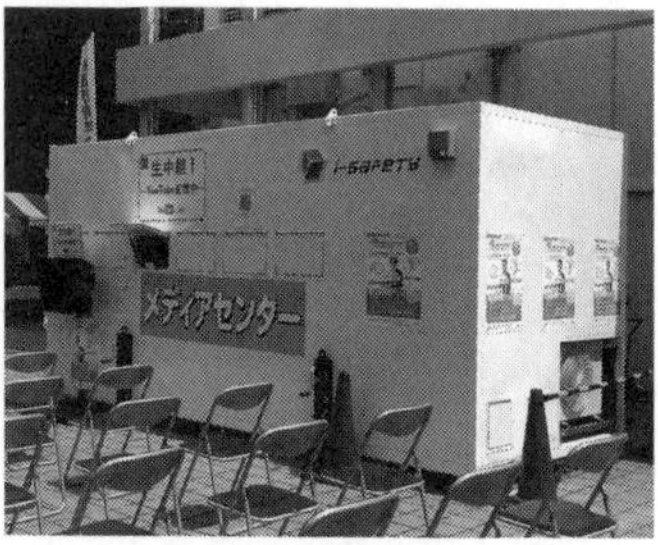

メディアセンターとして使われるi-safety。

カイゼンの過程でも、ある女性の新入社員から新しいアイデアが出てきました。コンテナという商品は、設置するときに荷下ろしの手間がかかります。それならば、最初からトラックにコンテナを取りつけておき「**動く応接間**」として提供すれば良いのでは、というものでした。たしかに設置時の負担は減り、需要が拡大する可能性があります。

いそのボデーは、この新人女性社員のアイデアをすぐに実現し、実車をつくりました。そして実際にニーズがあるかを、さまざまな分野の現場に持ち込んでチェックしたのです。すると、屋外ライブショーの着替え用更衣室、移動展示ブース、あるいは移動式の救護施設といった多くの潜在ニーズがあることがわかりました。

この機材は「FUV」と名づけられ、現在おもにサービス分野において活用されています。いそのボデーにとって継続的な仕事がまた1つ生まれたのです。

入社間もない若い社員のアイデアを採用するのは、中小企業でも簡単なことではありません。これがスムーズにできた背景には、やはりカイゼンがあります。

いそのボデーには、社長を筆頭に、従業員が対等の立場で現場を前にワイワイガヤガヤと意見を交わすカイゼンという場が、すでに習慣として根づいていました。気兼ねなく話せる場があれば、従業員は忌憚のない意見を口にできます。当人は何気なくいったつもりのことが、経営者である社長にとって大きな経営上の発想を得るヒントになるケースは少なくありません。

いそのボデーの場合、そうしたアイデアをすぐ自力で商品化できる技術を持っていることも大きいでしょう。大きなリスクを背負わずに実行できてしまうのです。

こうして、ガチガチの製造業主体だったいそのボデーは、全員参加のカイゼン活動によって生まれた独自商品で、サービス業にも参画するようになりました。

これはすべて一般社員のワイワイガヤガヤから生まれたモノであり、外部の専門家によるものではありません。

イノベーションといえば、日清食品のどんぶりで調理するチキンラーメンから、カップ入りのカップヌードルが生まれたという事例がよく知られています。

いそのボデーがトラックの荷台からFUVをつくり出したのも、これと同じくらい画期的なことであり、同様のイノベーションだといえるでしょう。

こうしたイノベーションのタネは、どんな会社や工場にもあるはずです。

現在チャレンジしているのは、工場のショールーム化です。これまで継続してきた5S活動をさらに進め、工場に来たお客様がいそのボデーの管理力や技術力を一目で確認できる状態を目指しています。

これは、**注文は営業が取り、製造はつくればいいといった役割分担を排し、営業が注文を取りやすいように工場がサポートをするという考え方**に基づいたものです。いそのボデーのカイゼンは、ますます全体最適のレベルを高めているといえるでしょう。

まとめ

マーケットの縮小が確実ななか、生産性の大幅向上と新商品の開発で生き残るという困難なテーマを、多様性のあるチームを編成したプロジェクト活動のカイゼンで実現することができました。

KZ法とチョコ案を活用し、整理整頓の対象を生産現場から、仕事そのものにも広げた結果、不採算事業からの撤退という経営上の大きな方針転換に結びつきました。

新人女性社員のアイデアをすぐに実現し、新しいマーケットを開拓できた背景には、自力で商品化できる技術力と、社長と従業員が対等に意見を交わせるカイゼンの場が根づいていたことが大きいでしょう。

【事例 #2】

自動車部品メーカーがリーマンショックをきっかけに会社構造を変え、まったく異業種の新商品を開発

・

大塚産業マテリアル株式会社

本社所在地	滋賀県長浜市八幡中山町1番地
創業	1706年
設立	1987年
資本金	2000万円
従業員数	127名
業種	自動車内装品の縫製および成形、一般部品成形
工場	滋賀県長浜市
	中国浙江省
	ベトナムハナム省（2017年10月竣工）
キーワード	三方良し、5S、
	KZ法、チョコ案、新技術開発

1 カイゼン前の大塚産業マテリアルの様子と社長の考え

大塚産業マテリアル株式会社のルーツは、1706年（宝永3年）に始まった蚊帳の製造です。昭和30年代半ばを境に急激に需要がなくなったため蚊帳部門は閉鎖。それまで培った織り、染め、縫製の技術をベースに、当時まだ発展途上だった自動車業界に活路を求め、自動車の内装部品製造を新たな事業とします。この判断は成功し、モータリゼーションの浸透に伴い、大塚産業マテリアルは規模を拡大しました。

工場の設備がある程度整ってきた2002年、大塚産業マテリアルは長浜工業会主催の工場見学会のホスト工場として見学会を開催します。見学後、参加した長浜市内の製造業約10社にアンケートがおこなわれました。見学した大塚産業マテリアルの5S（整理・整頓・清掃・清潔・しつけ）レベルを5点法でたずねるものです。他社を招いての見学会ですから、いつも以上に念入りに掃除をしてお迎えしたつもりだったそうです。ところが、5点をつけた会社は1社もなく、ほとんどが3点ないしは4点。ある1社からは何と1点という最低評価をされました。1点をつけたのは、当時長浜でもっとも5Sのレベルが高いといわれていたC社でした。

終了後の懇親会で、大塚敬一郎社長（当時。現会長）は、C社のM社長に直接「けっこうきちんと掃除をし、準備もしてお迎えしたつもりです。1点はさすがに厳しくありませんか？」と話しかけたといいます。しかし、M社長の返答は厳しいものでした。「御社は5Sとは何かを理解しておられないようです。申し訳ないですが、やはり1点です」と返されてしまったのです。

その言葉は的を射たものでした。大塚社長は「たしかに自分は5Sについてきちんと考えていなかった」と気づいたそうです。さっそく日本経営合理化協会が出していた『社長のための5Sでつくる高収益工場ビデオ』という全5巻のビデオを買って、勉強を始めました。

そこでわかったのは、自分たちがやっていたのは**単なる掃除に過ぎなかった**ということでした。各工程に積み上げられている大量の中間在庫を少なくするところまでやって、初めて本当の5Sが始まるのです。

改めて、本質的な意味での5Sを実行しようと思った社長は、そのビデオの講師に指導を依頼しました。じつは『社長のための5S〜』は、わたしが実際の現場風景をつかって

5Sを解説した教材だったのです。

依頼を受けたわたしは、滋賀県長浜市の大塚産業マテリアル本社で、大塚社長ご本人からお話をうかがいました。内容は、自動車産業の現状と将来、問題点とあるべき姿、そして、それに対応する自社についての意見です。

当時の大塚産業マテリアルの仕事は、労働集約的な縫製が中心でした。しかし技術的な独自性が弱く、いずれコスト競争に陥ってしまう可能性が高いといいます。そうなる前に、競争力のある技術を身につけたい。さらには、自動車産業以外の分野にも進出して安定性を持ちたいとのことでした。

社長のお話は非常に理路整然としており、その発言の節々に**近江商人の「三方良し**(『**売り手良し**』『**買い手良し**』『**世間良し**』)」の考え方が感じられました。「さすが300年の長い歴史を生き抜いてきた会社はすごい」と感じ入ったことを鮮明に覚えています。この近江商人の経営哲学がのちに起こる大事件で大きな成果を発揮するのですが、このときのわたしはまだ気づいていませんでした。

社長の目指す方向ははっきりしていましたが、具体的にどう動き出すかは決まっていません。そこで、お話のあと、すぐに社長と一緒に現場を見にいきました。

実際に目にした現場の5S評価はたしかに1点でした。

清掃はしっかりされているものの、最初の2つのSである整理と整頓がまったくできていなかったのです。しかし、そのモノの散らかった職場に、わたしは可能性も感じました。

この現場に関わる人たちが整理・整頓をきちんとやれば、生産性は向上し、製造納期が短縮され、在庫も減り、間違いなく素晴らしい工場になるでしょう。そう確信したわたしは、このご依頼に応えることを決めました。


しかし、目標達成は容易ではありません。

当時の大塚産業マテリアルの工場は多品種少量生産であり、さらに縫製は労働集約的、つまり人手に頼る部分の多い仕事です。現場では作業のたびに布の端切れや糸くずが出ますから、5Sの実行も簡単ではありません。トップダウンですぐカイゼンできるようなものではないのは明らかでした。

2　KZ法の実施

最初におこなったのはKZ法です。

工場幹部（社長から課長クラス全員）に集まってもらい、現場の一部で今後1ヶ月以内につかわないモノや問題のあるモノに各自30枚ずつのカードを貼り、工場の外に運び出しました。

そして、経営者参加のにぎやかな議論が始まります。とんでもなく古いモノが出てきて大笑いしたり、「どうしてこんなモノがあるのだろう」とワイワイ話し合ううちに、やがて根本的な問題点が浮かび上がってきました。

それは、作業者ごとの能力のバラツキでした。品質が不安定になるため、常にモノを多めにつくり、その余剰分がラインサイドに放置されていたのです。

これが、5Sレベル1点という評価を招いた根本的な問題点でした。

多くの現場には、たくさんの問題のあるモノ（すぐつかわない、多すぎるなど）が存在します。しかし、それが工場全体に常にまんべんなくあれば、どうでしょう。作業者にとっては日常的な景色に溶け込んでしまい、たとえ目の前にあっても、気づくことができなくなってしまいます。しかし、そうしたモノをラインの外に出し、現物を1ヶ所に集めれば、一目瞭然です。その多さと、これまで気づけなかったという事実の重さが誰にでもわかります。

全員一丸となってカイゼン活動をおこなうには、「このままではいけない」という思いを共有しなくてはいけません。KZ法は、不要なモノを社長も含めたできるだけ多くの人たちに目にしてもらい、共通認識を深めてもらう機会になるのです。そして、自然に「なぜこうなってしまったのだろう」「どうすればこれを解決できるだろう」といった具体的な議論が始まり、その場で全員が「よしやろう！」と決断できるところまで進みます。

じつをいえば、このKZ法で多くの問題が発見されることはわかっていました。もともと散らかっている職場ですから、当然なのです。

そこで、社長には事前に「KZ法を実行すると、いろいろな問題が顕在化します」と伝えておきました。そして「問題が指摘されても、決して怒ったり、責任者探しはしないでください。むしろ『**過去はいい。これからカイゼンしていこう**』というように、明るく前向きに対応してください」とお願いしておいたのです。

この最初のＫＺ法の実施で、工場のごく一部ではあるものの、そのエリアの整理・整頓は短時間でできてしまいました。また、各部門から来た参加者から、全体最適につながるカイゼンのアイデアがいくつも出てきたのです。

大塚社長はこの効果に驚き、今後の経営カイゼンのスピードアップを図るため、このやり方を取り入れることに決めました。

以後、大塚産業マテリアルでは毎月、カイゼン会をおこなっています。参加者は社長を筆頭にした幹部社員の方々。午前中は発表会、午後は毎回場所を変えてＫＺ法を実施します。

毎月、どこかの現場で、社長とすべての部門の幹部が総出で１ヶ月以内につかわないモノや問題があるモノを洗い出し、問題点を確認し、カイゼン方法を議論しているわけです。この活動を通じて、会社の幹部全員が会社全体のモノづくりを把握するようにもなりました。

このころの大塚産業マテリアルの仕事の中心は、自動車のシート部品やヘッドレストのラミネートの裁断と縫製でした。製品の多くが顧客である大手自動車メーカー向けで、ジャストインタイムで生産されていました。

多品種・少量生産ですから、段取り替えが多く、運搬などの作業も複雑に変化します。現場の作業者がそれぞれ気を利かせて対応する必要がありますが、そのための教育や訓練は必ずしも行き届いてはいませんでした。最初に実施したKZ法で浮かび上がっていた、作業者ごとの能力のバラツキという課題と同じ構造です。

KZ法を通じ、この問題の大きさがいよいよはっきりしてきました。


この問題に対処するには、さらに多くの現場作業者がカイゼン活動に参加することが望ましいといえます。

当時の大塚産業マテリアルにも、社員の知恵を活用する改善提案制度が存在していましたが、あまり活発ではありませんでした。

その理由の1つがハードルの高さです。それまで運用していた制度が求めていたのは、いわゆる「提案」でした。そして、誰かのマネでなくユニークであること、そして金額効果が大きいことが評価の基準になっていたのです。

この制度を活用するため、提案の提出目標件数が設定されていました。しかし、その件数はあまり多くなく、しかも実行するかどうかは、提案が採用されてから改めて検討するというゆっくりした仕組みです。実際の達成率は約6割程度に留まっていました。

もう1つの理由は外国人労働者です。大塚産業マテリアルの現場には、正規従業員以外に、外国人研修生などの多くの外国人労働者がいました。彼らはある程度の日本語を話しますが、書くのは不自由ということがあり、当初、カイゼン活動の対象には考えられていませんでした。労働集約的な職場を支える外国人労働者の持つ知恵はまったく活用されていなかったのです。

3 チョコ案で外国人労働者の知恵を生かす

従業員全員の協力を得るため、チョコ案制度を導入しました。

自分で実行したカイゼンを簡単に記入し、報告するものです。誰かのマネや小さな修理でもOKで、効果の大小も問いませんから、ハードルはかなり低くなります。

わたしは、中国人研修生の方々が持つカイゼン能力に期待していました。

彼女たちには、みなそれぞれの工夫があるのです。現場にいくと、持ちにくい道具にテープを貼って持ちやすくしている人や、毎回つかう部品を自作の入れ物に入れて取り出しやすくしている人など、じつに多くのアイデアが見てとれました。彼女たちは非常に高いレベルのカイゼン能力を持っていたのです。その知恵をカイゼン活動に生かさない手はありません。

日本語を書くことのできない中国人研修生は少なくありません。しかしチョコ案は実行したことの簡潔な報告ですから、中国語で記入されても、辞書などをつかえば読むことができます。そこで、中国語でもOKというルールにしました。もし読めない場合は、本人のいる現場にいったり、カイゼン前とカイゼン後の写真を用紙に貼りつければ済みます。

こうして、言葉の壁のないチョコ案が実行されました。

チョコ案は、個人レベルでの成果にとどまっていたカイゼンを、全社へ広げるためのものです。実行したらご褒美がも

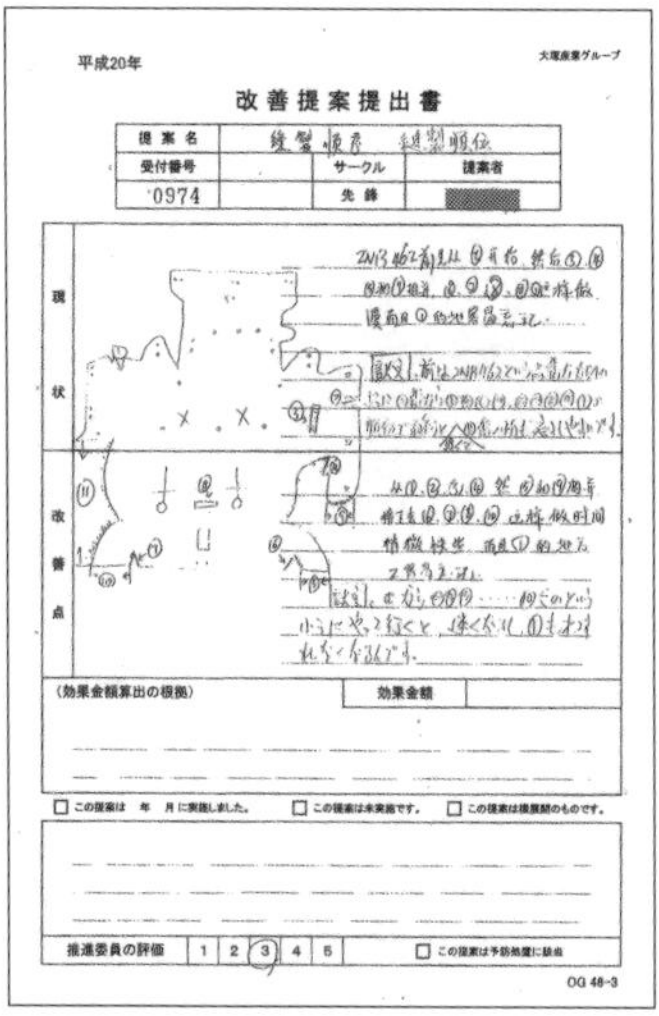

中国人研修生が中国語で書いたチョコ案用紙（日本語訳つき）。

らえるというわけで、良いカイゼンが次々披露され、広がるようになりました。

大塚産業マテリアルでは2003年から現在まで、毎月、チョコ案カイゼン発表会を全従業員参加で実施しています。発表会では、社長が毎回、優秀チョコ案カイゼンを発表。実施した人を表彰します。また、個人評価に加えてチーム表彰もあり、中国人チームは常に上位に位置する存在となりました。

このカイゼン発表会は、経営陣や管理者という立場からは知りえない問題や、目立たない従業員の貢献を浮き彫りにする場でもあります。もちろん、全員のモチベーションは向上し、細部に渡るカイゼン実行力も養成されるのです。

全従業員でのチョコ案実行でさらに生産性や品質のカイゼンを進めた大塚産業マテリアルは、順調に売り上げと利益を増やし続けました。

これを継続させるため、**合宿**（会社全体の方針を実現するための各部門方策を全員で調整・作成する場）、**カイゼン会**（リーダーを中心に、合宿で決まった方針を実行し、結果を報告、議論する場）、**月例ミーティング**（良いカイゼンを報告し、実行者を表彰する）などが定例化します。

一言でいえば、KZ法は問題を明確にし、チョコ案は社員全員がカイゼンを実行し、問題解決するものです。**この活動を続けていると「変わり続けること」が当たり前になり、誰もが自分から変化を起こすようになります。**

大塚産業マテリアルのカイゼンスピードは、こうしてみるみる上がっていきました。

4 リーマンショックという激震

ところが、この流れが一瞬で止まる大事件が起きます。

2008年9月に起きたリーマンショックです。アメリカで起きたことですから、日本への影響はそれほど大きくないだろうという予測も当初はありました。しかし、すぐにとんでもない影響が及び始めます。自動車メーカーからの注文が激減したのです。

それまでは、残業はもちろん、ときには休日出勤もあるほど生産ラインは順調に動いていました。しかしこのときは突然1週間に2日程度しか仕事がないというレベルにまで生産が落ち込んだのです。経験のない劇的な変化に多くの従業員が驚き、怯えました。

しかし、大塚産業マテリアルにはこの苦境を乗り切る武器がありました。大塚敬一郎社長が持つ近江商人の経営哲学です。

三方良しを信条とする社長にとって、このピンチで一番重要なのは従業員の雇用を守ることでした。そこで即座に全社員に対し「この機会をチャンスととらえ、これまでできなかったカイゼンを全員で実行し、来るべきときに備えよう」という方針を表明したのです。

社長の言葉を聞いた従業員は安心し、できる限りのカイゼンに本腰を入れて注力しました。その過程で、工場は1週間に1日の稼働で済ませるよう生産計画を立て直します。さらに材料のムダを防ぐため、生産計画に合わせて在庫を減らす対策がとられました。そしてキャッシュをできるだけ外に出さないようにしながら、大塚産業マテリアルはリーマンショックを見事に乗り切ったのです。

5　事務所のカイゼンで人材を生み出す

リーマンショックの逆風が吹き荒れていた時期、社内で奇妙な発見がありました。自動車メーカーから注文のない工場では、多くのラインが停止し、休業状態になっています。ところが、事務所は以前に増して忙しくなったのです。

原因の1つは、窮地に即した新しい生産計画の立案でした。しかしそれだけではありません。**真の理由は事務処理でした。**工場の生産が激減し、印刷される金額の桁数が1つ、2つ少なくなっても、事務所が処理・発行しなければならない書類は1枚も減らないのです。

つまり、生産現場は生産量に比例して稼働時間が増減するのに対し、それをサポートする事務所の仕事は、生産量とはまったく関係なく維持されていました。ずっと、これまで通りの長時間稼働を続けていたのです。


大塚産業マテリアルは、この発見を事務所の仕事を見直す機会とします。

改めて精査すると、予想以上に多くの問題が見えてきました。

たとえば、残業です。締め日の直前はほぼ毎月、退社時間が遅くなっていることがわかりました。女性社員の退社が夜10時を超えることもあり、心配したご家族から問い合わせがあったり、「早く帰宅させてほしい」とのお叱りの電話があったという実態が明らかになったのです。

それまでカイゼンの対象としていたのは、おもに生産の現場でした。それ以外のところには、目が向いていなかったのです。新たなカイゼン対象の発見でした。

しかし、モノのできる様子を目で見て確認できる現場とは違い、事務所の仕事はパソコン操作が大半で、横から観察しても何をしているのかわかりません。そこで大塚雄介課長（当時。現大塚ベトナム社長）を中心としたチームに、事務所の仕事を詳しく分析してもらいました。

判明したのは、予想以上に混乱した実態です。

事務所の基本的な仕事の多くは月単位の繰り返しです。しかし、そのためのシステムはほとんど構築されていませんでした。

また、多くのデータがエクセルで管理されていたのですが、設定は旧バージョンのまま。作業者はみな情報や数値をコピー&ペーストで別の資料に移し替えていたのです。しかも、この面倒な作業に対するカイゼンは、各担当者が個別に実行していました。**その結果、担当者によって作業方法がそれぞれ違うという状況になり、お互いの仕事を助けることも難しくなっていたのです。**

事務所が発行する書類についても、このとき改めて検討されました。

すると、必要がなかったり、情報が重複している書類が複数見つかったのです。これは、多くの書類が読まずに捨てられていたことを示しています。その当人は「自分には必要ないけれど、きっと誰かは必要なのだろう」と思っていたのでしょう。しかし、社内の全員が同じように捨てていた書類がたくさんあることがこの調査でわかったのです。

こうして顕在化したムダを、大塚課長を中心にカイゼンしました。**不要な仕事をやめること、そして、必要な仕事を標準化し、お互いに助け合えるようにしたのです。**また、マクロ機能を活用して、データをいちいちコピー&ペーストをしないでつかえるようにもしました。

すると、これまで夜10時までかかっていた仕事が、午後3時には終わってしまうという信じられないくらい大きな変化が起きたのです。

こうして、当初は増員と増設が検討されていた事務所は、一転して、人が余るという状況になりました。

大塚産業マテリアルは、将来の発展に備え、営業部門の新設や生産現場の管理レベルの向上を考えていました。このカイゼンは、そのために必要な人材を社内から生み出せた、という最高の結果を導いたのです。まさに、災い転じて福となすでした。

6　将来に向けた大きなカイゼン1　営業部門の創設

カイゼンを通じて原資を生み出した大塚産業マテリアルは、その後も継続して大きな変化を起こし続けます。大塚社長は自社の将来に向け、2つの大きな危機感を持っておられました。1つは自動車産業中心であること。もう1つは労働集約的な現状です。将来を見据えれば、どこかで変化しなくてはいけません。

そのためにまず営業部門を創設しました。これは自動車部門以外の分野に進出するための第一歩です。

大塚産業マテリアルはそれまで独立した営業部門を持っていませんでした。サプライチェーンの一部である自動車部品メーカーでは、営業といってもその大半は月々の生産数と品種内訳の確認程度で済んでしまうからです。

しかし、自動車以外の産業にも活路を求めようとするのなら、そうはいきません。本格的な営業を始めるために、各部門から人を引き抜き、10名弱の営業部門を立ち上げたのです。

最初に取り組んだのは、電話帳で会社を探して、アポイントを取って、面談するという営業でした。しかし、この方法は効率が悪く、しかも部員は営業未経験者ばかりですから、思うような成果は出ません。

しかし、この会社には、変革には全社一丸で立ち向かい実行するという気風が根づいていました。立ち上げ間もない営業部門の状況も、カイゼン発表会などを通じて、具体的な形で共有されたのです。そのやり取りを実行することで、徐々に営業部門の仕事は効率化され、各分野から新しい仕事が取れるようになりました。

ちなみに、この当時の様子は2016年11月に放映された『日経スペシャル夢織人《ゆめしょくにん》 小さなトップ企業』という番組で「進化する300年企業　蚊帳から自動車へ」として紹介されました。

7　将来に向けた大きなカイゼン2　新技術と新商品の開発

続いて、仕事のやり方についても変化を進めます。新技術の開発です。

工場では依然として、大勢の人がミシンを前に、自動車のシートを1枚1枚縫っていました。まさに典型的な労働集約的な仕事だといえるでしょう。

人口減少の日本国内において、このまま生産を継続するのが難しいのは明らかでした。日本はもちろん、今後は中国においてもこうした作業はコスト高になっていくことが予測されています。

大塚社長は、長年関わってきた自動車業界において、大塚マテリアルの技術力を生かした、より高い付加価値を持つ商品を開発したいと考えていました。さらには自動車以外の業界に供給できる製品も持つべきだと思っていらっしゃいました。


新しい技術の開発は、当時主力だった次世代縫製製品の研究から始まりました。ちょうど、シート部品にモールド成形（注・熱をつかって繊維を加工する真空成形法の1つ）がつかわれるかもしれないという情報があったのがきっかけです。専門家のアドバイスを受けながらこの技術をマスターし、新たにモールド成形部品の生産を開始しました。

この立ち上げ時の担当者も、もちろん研究開発段階からカイゼン発表会に出席しました。その発表を通じ、さまざまな困難や課題が社内で共有され、その場で各部門からの援助や協力が決まり、実行されたのです。

当然、新しく設置される生産ラインのKZ法によるカイゼンもおこないました。このと

連続真空成形

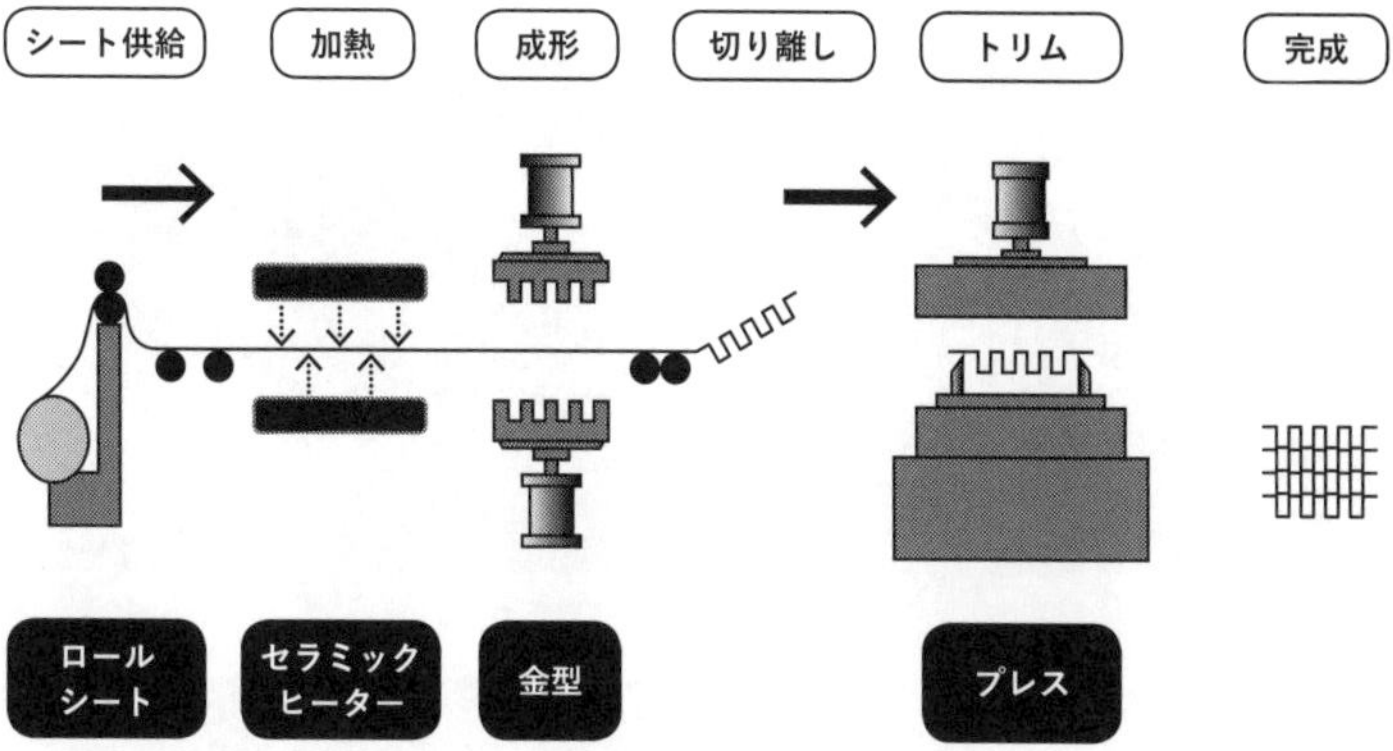

薄肉成形品を最もローコストで生産できる、型代が安くできるなどのメリットがある。
1,200 ミリ× 1.600 ミリサイズの成形加工が可能。

きは、担当者だけでは不可能だった器材の大幅なレイアウト変更が実現できています。こうして、全員が参画意識を持つ理想的な形で、新商品の新ラインを立ち上げることができました。

新ラインは、ほとんど注文のない状態からのスタートでした。しかしカイゼン発表会を通じてコツコツと品質、生産力を向上させたことで徐々に注文は増加していきます。モールド成形でもっとも重要なのは金型です。そこで、若手中心の生産技術部門を立ち上げ金型設計技術を高めます。

その結果、成形モールド製品は売り上げの3割を占める主力へと成長しました。現在では、成形品、縫製品合わせて日本の自

自動車業界以外に広がった製品例

床吸音・防音材。

事務椅子カバー。

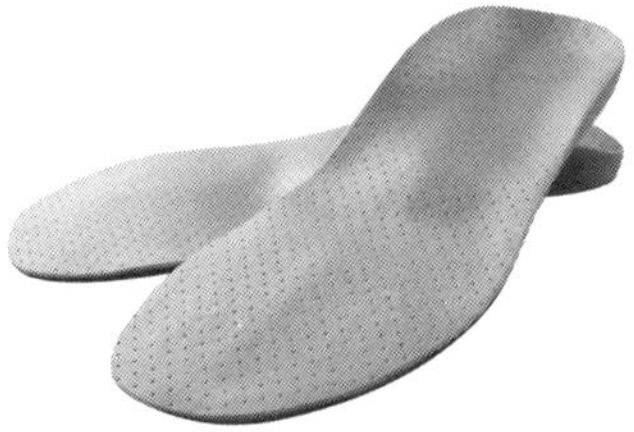

フットケア用品。

鉄道シートカバー。

フリーアドレス制のオフィスで採用される。

←

新製品のオフィス用キャリアケース。

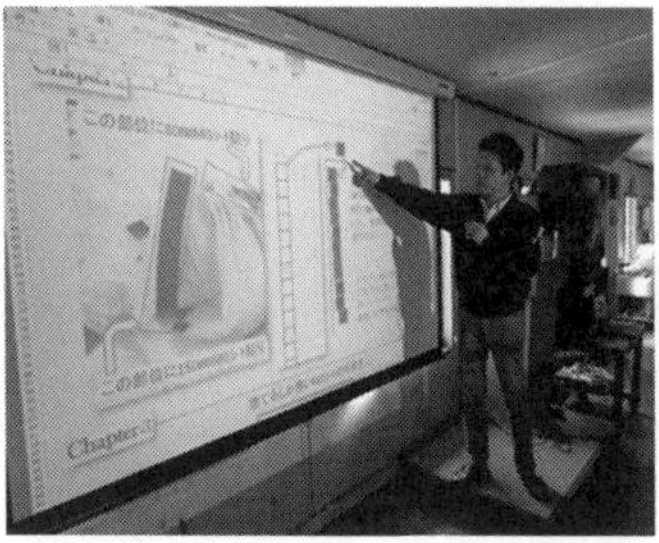
カイゼン発表中の社員。

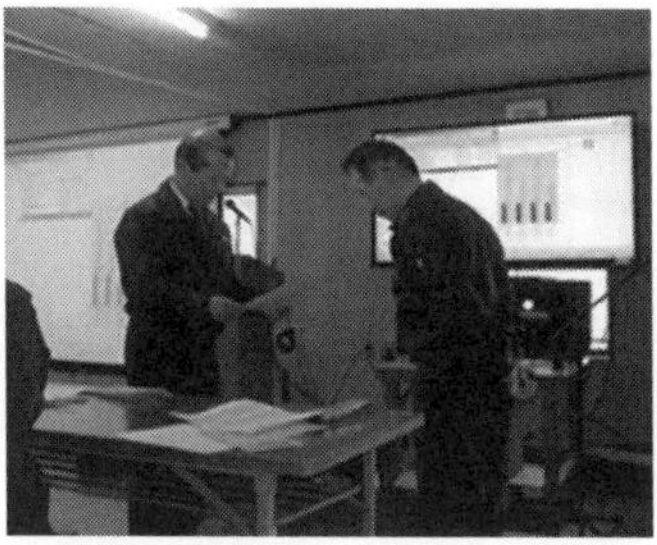
大塚社長からの表彰。

動車につかわれるシートクッション材のモールド部品の約７割が大塚産業マテリアル製です。

この新しい成形技術で自動車部品以外に進出する動きも始まっています。

すでに各種展示会にさまざまな試作品が出展され、自動車業界以外のお客様からの要望に応えた新しい商品ができるようになりました。動物型ロボット用のケースを受注したのもその一例です。このケースは２０１９年の日本パッケージデザイン大賞を受賞しています。

大塚産業マテリアルは創業３１０年を超える歴史を持つ長寿企業ですが、現在も、苦境を乗り越え飛躍し続けています。その理由はメガトレンドをつかみ、現在のビジネス領域にこだわることなく変化しているところにあるといえます。その背景にあるのは、全員参加のカイゼンです。

ＫＺ法の実施には、必ず社長が参加します。自然に社員との距離が近くなり、全社員が一致して変わり続けるということが日常になっているのです。

実際、**カイゼン提案件数と利益を比較するグラフをつくると、両者の伸びが一致している**ことがわかります。両者には、明らかな相関関係があるのです。

大塚社長は、従業員によるカイゼン実行は経営を支える大きな柱であると確信しておられるそうです。

大塚産業マテリアル（株）による
カイゼン提案と売上・利益の相関関係

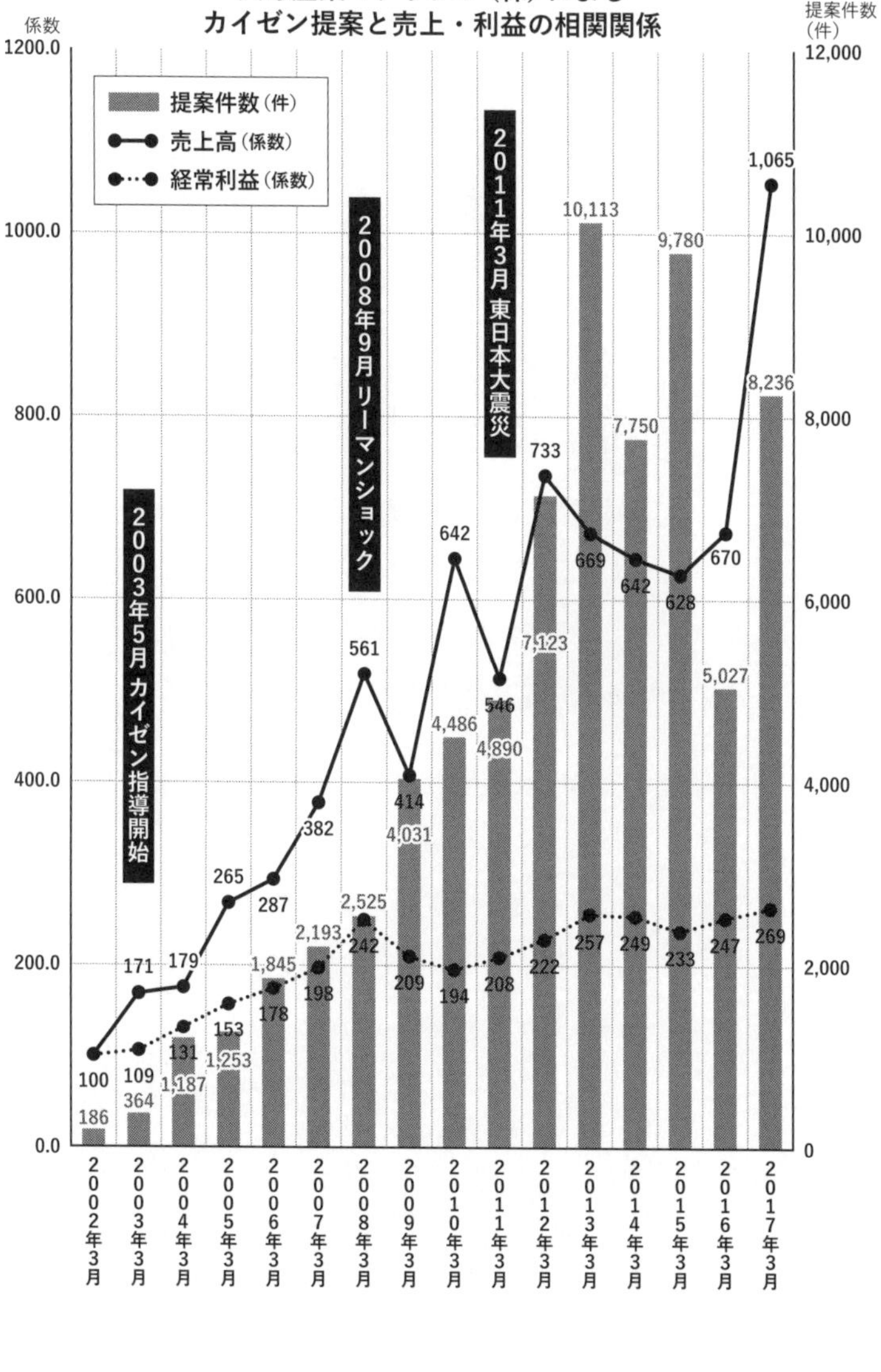
係数
提案件数（件）
提案件数（件）
売上高（係数）
経常利益（係数）
2003年5月カイゼン指導開始
2008年9月リーマンショック
2011年3月東日本大震災
1200.0
1000.0
800.0
600.0
400.0
200.0
0.0
12,000
10,000
8,000
6,000
4,000
2,000
0
186
364
1,187
1,253
1,845
2,193
2,525
4,031
4,486
4,890
7,123
10,113
7,750
9,780
5,027
8,236
100
171
179
265
287
382
561
414
642
546
733
669
642
628
670
1,065
100
109
131
153
178
198
242
209
194
208
222
257
249
233
247
269
2002年3月
2003年3月
2004年3月
2005年3月
2006年3月
2007年3月
2008年3月
2009年3月
2010年3月
2011年3月
2012年3月
2013年3月
2014年3月
2015年3月
2016年3月
2017年3月

まとめ

リーマンショックによる生産の落ち込みからV字回復を遂げた原因には、社長が近江商人の「三方良し」の考え方を持ち、従業員の雇用を守り、「このピンチをチャンスに変えよう」と呼びかけられた従業員たちが、できる限りのカイゼンに邁進したことが挙げられます。外国人労働者の知恵を生かす柔軟性も見逃せません。

社長も含め社員全員で整理・整頓をおこない、そこから見えてくる問題点を全員でカイゼンする体制を確立しました。その過程で営業部門を設立し、新技術を導入。その成果の現れとして、自動車分野以外での新商品を大ヒットさせました。

【事例 #3】

売り上げ半減で倒産直前の樹脂成形メーカーが、全員参加のカイゼンで過去最高の利益を達成

・

天昇電気工業株式会社

本社所在地　東京都町田市南町田5丁目3番65号
設立　1940年
資本金　12億800万円
従業員数　560名
業種　プラスチック製品・金型の設計・製造・販売（自動車樹脂部品、照明、事務機器、OA機器、感染性医療廃棄物容器、導電性プリント基板収納ラック、液晶TV、物流産業資材、通い箱など）
工場　埼玉県比企郡、福島県二本松市、福島県西白河郡矢吹町、群馬県太田市、三重県伊賀市中国、メキシコ、ポーランド
キーワード　現場カイゼン、カイゼン発表会、マーケット開発、海外工場育成

1 カイゼン前の天昇電気工業の様子と社長の考え

天昇電気工業株式会社（以下、天昇電気）は、樹脂成形から組み立て二次加工までを一貫しておこなうメーカーです。2005年ごろからは、一括受注に成功した大手電機メーカーS社の主要部品の生産拡大で、売り上げ、利益ともに急速に向上しました。伸び続けるS社の注文に応え、生産ラインの大半をそれだけに振り向けるのは、経営バランスとしては危険です。しかし、わかってはいても、実際にやって来る注文を断ることはできず、一社中心の生産を続けていました。

わたしは、このころから天昇電気の一部工場に定期的にうかがい、生産性・品質向上をサポートするコンサルタントとして、指導をしていました。

当時、命題とされていたのは、品質の維持と生産の達成です。製造現場に入ってわたしがカイゼンのアイデアを出すというやり方で、どちらかといえばトップダウン的なカイゼンをしていました。

しかし、薄型テレビが普及し、競争が激しくなるにつれS社商品の売れ行きは徐々に勢いを失うようになります。やがてマスコミから経営の将来性を疑う声が上がるようになり、S社は経営破綻に追い込まれてしまいました。

突然S社からの注文が消えた天昇電気の経営は、当然悪化します。影響は受注だけではありません。同社からの要請でポーランド、メキシコに工場を建設していたのです。莫大な投資をおこなった両工場の大型成形設備、塗装設備はほとんど稼働することなく、売り上げがゼロになってしまいました。これが経営悪化にさらなる拍車をかけたのです。

右肩上がりで売り上げを増やしていた天昇電気は、こうして一転、倒産の危機に直面します。追い込まれた会社は「取れる注文は何でも取る」と決断し、あらゆる業界に足を運んで、新規の注文を取り始めました。しかし新しいラインを即座に立ち上げるのは簡単ではありません。当時の技術や管理スタッフだけでは難しいのは明らかでした。

この難局を乗り切るため、石川忠彦社長が決断したのは、現場の力をこれまで以上に活用することでした。そのためには、従来のトップダウン型ではなく、多くの人が参画して知恵を出し合う小集団活動を通じたボトムアップ型のカイゼンが良いだろうと考えます。

とはいえ、工場では多くのラインが停止し、会社を去る人もすでに多数出ている状況ですから「この非常事態にカイゼンどころではない」と疑問を感じる社員も少なくないことは容易に想像できました。

外部のコンサルタントとしてこの様子を見ていたわたしは、何とかこの会社を助けたいと強く思っていました。苦しんでいるのは顧客であると同時に、長年、一緒にカイゼンをしてきた仲間でもあったからです。

とはいえ今は経費削減が最優先。コンサルタント契約はカットするのが当然でした。そこで「手弁当で構わないので、小集団のカイゼン活動に仲間として参加させてほしい」とお願いして、継続指導をさせてもらうことにしたのです。

2 生き残りをかけたカイゼン活動の開始

コンサルタントとして天昇電気に関わり続けることを決めたわたしは、自分にできる最大の役割を「**カイゼン活動を継続させること**」だと考えました。

会社の人間同士には、はっきりいえないという場面が生じます。仕事が忙しいときはなおさらで、これがカイゼンの継続を難しくする一因です。しかし、定期的に進捗確認をしにやって来る外部のコンサルタントがいれば、カイゼンを仕事の一部に織り込むことになるでしょう。

これは、定期的にカイゼン発表会をおこなう目的の1つでもあります。カイゼン成果を発表し、共有する締め切りが定期的にやってくることがわかっていれば、参加する人は当然、時間配分をするでしょう。こうした仕組みを持つことで、カイゼンが後回しにされたり、忘れられてしまうのを避けることができるのです。

このとき、わたしはすべての小集団カイゼン活動発表会に出席しました。評価を通じて現場の議論を促したり、Aという工場で実行された良いカイゼンを他のBやC工場に紹介して横展開させるなど、会社全体のカイゼン活動を盛り上げるようにしたのです。

わたしのもう1つの役割は、現場で実行されたカイゼンがどのように経営に貢献するかをわかりやすく参加者に説明することでした。上手く解説できれば、次におこなうべきカイゼンの方向を示し、参加者のモチベーションを維持向上してもらうことにつながるからです。指示や訓示のような形ではなく、カイゼンを実行した担当者にスポットライトをあてて話すよう、心がけました。

とはいえ、状況は依然として厳しいものでした。

カイゼン活動を実行する小集団のなかには、リーダーが退職してしまい、急遽若手社員がリーダーに任命されたというチームもあったのです。活動を続けることだけでも大変なこうした環境で小集団活動を活性化させるためには、他にも手段を講じる必要がありました。

そのため、各工場で2ヶ月に1回おこなわれる小集団活動のカイゼン発表会に、社長を含めた役員の誰かが必ず出席することを決めます。実行されたカイゼンにコメントをし、担当者たちを激励してもらうためです。参加する役員の方々には、批判するのではなく、頑張ったところを少しでも見出して、評価し、元気づけることを意識していただくようお願いしました。

現場で作業している人たちは、ただでさえ忙しく、厳しい状況にいます。そのなかでも時間と知識をつかってカイゼンを実行し、発表会に集まってくださっている。そのことへの**感謝の気持ちを、社長を筆頭とした経営陣が直接、言葉で表すのは非常に重要なことでした。**

また、製造現場が中心だったカイゼン活動の範囲を広げ、営業、設計、技術なども含めた全員でおこなう形に変えました。製造部門だけでできるカイゼンにはどうしても限界があります。このときの天昇電気に求められているのは、全体で相乗効果を生み出す総合的で本質的なカイゼンだったからです。同時に、**現場の方々が「自分たちだけがやらされている」という感覚にならないようにする**ことも重要でした。

あるとき、こんなことがありました。

営業部門がおこなったプレゼンテーションがいかにもその場しのぎの薄っぺらい内容だったのです。すると社長が激怒し、その日、出席していなかった営業部門の役員に電話をかけました。そしてその場にいる全員に聞こえるほどの大声で「みんなが一生懸命、会社のためにカイゼンしているのに、今回の営業はまったくダメだ。君は一体何を指導しているのだ！」と叱ったのです。

こうしたこともあり、やがて、すべての部門が参画するカイゼンが定着していきました。

小集団活動はその後も月に3〜4回程度の会合とカイゼンの実施を継続します。発表される内容は、生産性向上、コストダウン、品質向上、そして新商品の立ち上げに関するカイゼンがほとんどでした。当時の会社の厳しい経営状況を少しでもカイゼンしようという直接的な目的があったからです。

そして、少しずつ、その成果が出始めます。

3 カイゼン活動の効果が出始める

あるとき、福島工場がボビンという部品を受注しました。

一見すると、簡単につくれそうな形状です。そう思って受注したところ、自社の成形工程では、高さの精度を出すことができないことがわかりました。切削加工のできるところへ外注すると、運搬・管理の費用で赤字になってしまいます。

暗礁に乗り上げたこの問題の検討が委ねられたのは、技術と製造が一緒になった小集団活動グループでした。

普段、こうした案件は、上司が1人の技術担当者に課題として取り組ませていました。しかし、このやり方で良いアイデアが出るのは稀です。しばらく頭で考え「できません」という結論になってしまうことが多いでしょう。

しかし、小集団は比較的リラックスした状態で、活発にワイワイ話し合うことができます。すると1人きりで考えたときには到底出てこないような画期的なアイデアが出ることがしばしばあるのです。

このケースが、まさにそうでした。

グループの一員である、菅野隆太さんという社員が「うちにあるカンナをつかえば高さ調整ができるのではないか」という素朴なアイデアを出します。彼の父親は大工さんでした。ところが他のメンバーの反応はイマイチで、議論にもなりません。あきらめきれなかった菅野さんは、翌日自宅からカンナを持参。みんなを集めて実験をしたのです。

じつは、この実験では目指す精度は出せませんでした。木工用のカンナではさすがに不十分だったからです。しかしそのメカニズムを実際に目にしたメンバーたちは、全員同時に「このやり方でいける」と直感し、すぐ全員で機械製作に取りかかりました。そして、わずかな費用で完成させたのです。

できあがったのは、射出成形機の横に設置する機械でした。成形機から出た製品を担当作業者がその場で高さ調整をするわけです。精度はもちろん、コスト面も十分満足させるものでした。

この成功は、天昇電気に新しい考え方をもたらします。

射出成形機だけに頼らず、その能力を超える精度が必要なときはもう1つ工程を加えればいい、というのはこれまでにはなかった発想だったのです。

まさに、人と人が集まることの力の成果でした。

その後、同じ現象が、各工場の小集団で次々と起きます。

たとえば、従来、1300トンの型締めを有する大型成形機が必要だった製品が、新しく考案された金型構造によって、850トンで生産可能になりました。また、2名で作業していたスクリーン印刷を、成形機と連動した転写印刷に変更し、無人化することに成功します。

いずれも大幅なコストダウンを実現するカイゼンです。しかも、これら以外にも同じレベルのことが各工場で起きていました。

これほどの成果が出たのは、すべての従業員が自社の置かれた状況の大変さを十分に理解していたことが大きいでしょう。そして、こうした小集団活動に対して、会社はあくまでもサポートに徹し、ある程度自由に活動をさせるスタンスを貫いたことも見逃せないと思います。これが全体最適のカイゼンの威力なのです。

4 ＫＺ法の実施を通じ、自動車産業に参入

こうして、天昇電気は徐々に生産を増やしていきました。

しかしそのスピードはまだ遅く、さらなる変化が必要でした。

そこで、天昇電気はそれまでの電気産業中心から自動車産業に軸足をシフトすることを決断します。しかし、自動車の仕事は電気と比べて生産品種が多く、ジャストインタイムの納入を求められる世界です。これを実現するためには、工場内にかなり広いスペースが必要でした。

ところが、工場内は設備や材料や中間在庫などで満杯で、空きスペースは皆無の状況でした。自動車産業から受注があっても、実際にモノをつくれるかどうかわからないという現実的な問題に直面したのです。

そんなある日のカイゼン発表会で「午後は工場の全管理職総出で場所づくりをしませんか」という意見が出ました。多くの人が賛成し、しばらくやっていなかったＫＺ法を実行することにしたのです。

このとき全員に与えられた30枚のカードを一番先に貼り終えたのは石川社長でした。わたしたちが慎重につかわないモノを選んでいる横で、社長は無造作に見えるほどスピーディにカードを貼っていたのです。その様子は**「我が社の経営課題は場所の確保だ」**ということを参加者全員に深く印象づけるものとなりました。

この社長の姿を多くの社員が目にし、共有したことが、その後の全社にわたる場所の開拓につながったと、わたしは考えています。

このとき実施したKZ法で、工場内の不要物が想像以上に多いことがわかりました。不必要なのはわかっているのに、撤去が後回しにされ、その周囲のスペースが使用不可能になっていたのです。みな1人ではどうにもならず放置され続けていた不要物が、この活動によって取り除かれ、その空間の一部が生き返りました。つまり、隠れた空きスペースはまだまだ眠っている可能性があることがわかったのです。

KZ法実施前の工場。

じつは、KZ法をしばらく実行していなかったのは、当時の

石川社長（右）も社員と一緒に KZ 法に参加。

KZ法後、工場内に広いスペースを確保。

天昇電気の管理者の方々が、数多くの対応すべき業務を抱えていたからでした。ＫＺ法は基本的に社長などの幹部も参加する全体活動ですから、難しいだろうと考えていたのです。

しかし、このとき体感したのは、**このようなピンチのときにこそ総力を結集するべきではないか、**ということでした。

普段、組織上の分担に従って仕事をしている管理職の方たちが一緒になって現場のカイゼンをすると、じつに多くの問題が可視化されます。たとえば品質カイゼンに設計部門が関与していないとか、営業部門の情報が全社に共有化されていないといった、部門をまたいだ問題点に気づくことができるのです。こうした発見は、全社を挙げたカイゼン、全体最適につながっていくものだといえます。

とはいえ、電気製品のモノづくりから自動車のモノづくりへの転換は容易ではありません。求められる品種の多さ、ロットサイズの小ささに対応するためには、段取り替えの時間短縮が

メキシコ工場の発表風景。

社長から表彰される中国工場。

必要です。また左右のある製品が混入しないようにする工夫も、これまで経験していないことでした。

しかし、全社を挙げたカイゼンで、天昇電気はこの困難な課題に挑みます。工場ごとのカイゼン発表会で横展開可能な事例は即座に共有し、会社にも援助してもらって全社同時に実行しました。こうして、自動車業界で注文を取れる技術習得に成功したのです。

この体験は、天昇電気がカイゼン活動の絶大な効果と、教育訓練としての重要性を改めて認識する機会となりました。現在では、国内工場のみならず、海外工場にも展開し、年1回の全社大会にはメキシコ、ポーランド、中国からの代表者も来日して、カイゼン発表をおこなうようにまでなっています。

5　放置されていたロボットの再活用

S社の仕事をしていたころの天昇電気には、ロボットによる自動ペイント工程がありました。しかしS社の受注がなくなって以後はラインごと放置されてしまいます。自動車部品で塗装が必要なときは外注していたのです。しかし、ある日のカイゼン発表会で「自分たちの力で復活させよう」という声が上がりました。

さっそく点検してみたのですが、5年以上放置されたラインはそのままではまったくつかえない状態です。復旧は困難と思われましたが、工場長の強いリーダーシップの下、生産現場と技術の若手が自力復旧にチャレンジすることが決まりました。

参加した若い技術者たちは役割分担をし、ラインまわりの環境整備に着手しました。ロボットの修理は部品ごとに分解し、きれいに洗浄するところから始まります。

その作業中、あるカイゼンのアイデアが浮上しました。ロボットをただ元通りにするだけでなく、部品の受け側もスピンドルで動かすよう改造してはどうか、というものです。上

ラインごと放置されたロボットによる自動ペイント工程

フィーダーも固着して動かない。

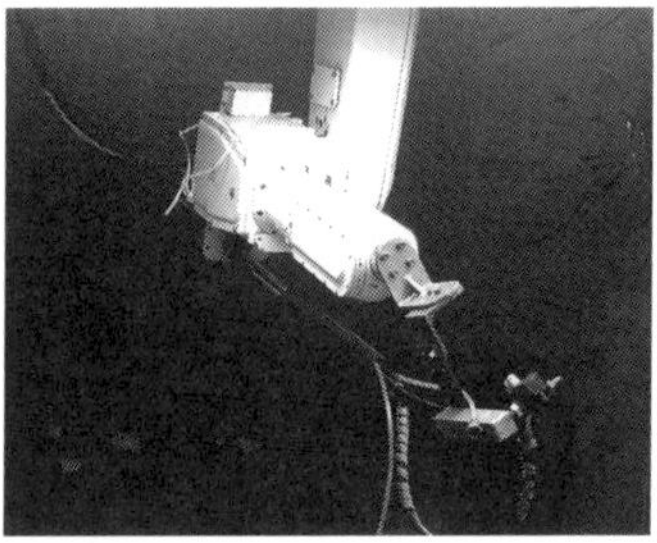

ロボットは位置情報が消え、作動できない。

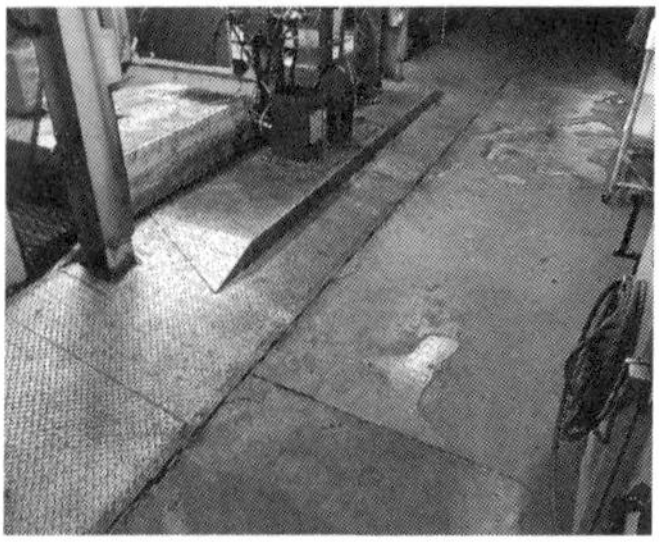

床は剥がれてボコボコに。

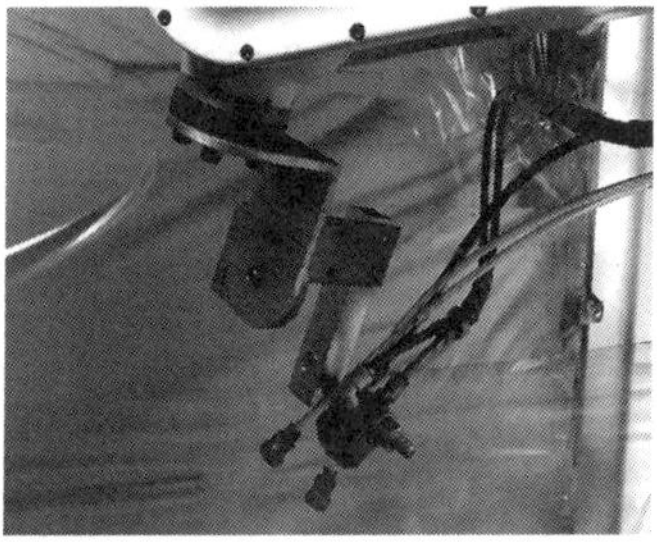

塗装ガンが外されている。

コンベアにはひどいホコリが。

ポンプは固着して動かない。

ロボットまわりも洗浄やペンキ塗りで復活。

汚かったラインがこんなにきれいになった。

手くいけば、以前よりも短い時間で、よりきれいに塗装ができる可能性がありました。

工場長がこのアイデアを後押ししたこともあり、再活用プロジェクトはロボットの改造へと発展します。しかしコストはできる限り抑えなくてはいけません。彼らは、改造に必要な回転制御回路を、工場内にあった遊休部材（つかわれずに放置されていた部材）だけで作成することに成功します。

こうして、以前の2倍以上の効率でのペイントが可能な、新しいロボットペイントが完成しました。

きれいに磨かれた部品。

分解された部品。

この成功は、若手が自由に発言できる環境と、その提案を聞き、実行させる雰囲気が天昇電気にあったことが決め手だったといえるでしょう。それを可能にしたのは、とてつもなく苦しい環境の下にあっても「全員参加のカイゼン活動を続ける」とした、社長の決断だったと思います。

この事例は2017年11月に開かれた世界大会でも紹介され、全参加者に感動と勇気を与え、社長特別賞を受賞しました。

倒産すらありうるほどの厳しい状況に置かれていた時期、天昇電気の従業員の方々は将来に対する大きな不安を抱えて仕事をしていました。しかしその苦境においても現場カイゼン活動を継続し、大きなお金をつかわずに、場所をつくり、新しい設備をつくり、徐々に業績を回復させていきました。

それだけではありません。従業員たちは、社長や工場長からの評価を通じ、会社の成果が自分たちが直接関わったカイゼンの結果だと実感していました。これは彼らの自信を取り戻し、モ

不動設備を利用した新塗装工法開発

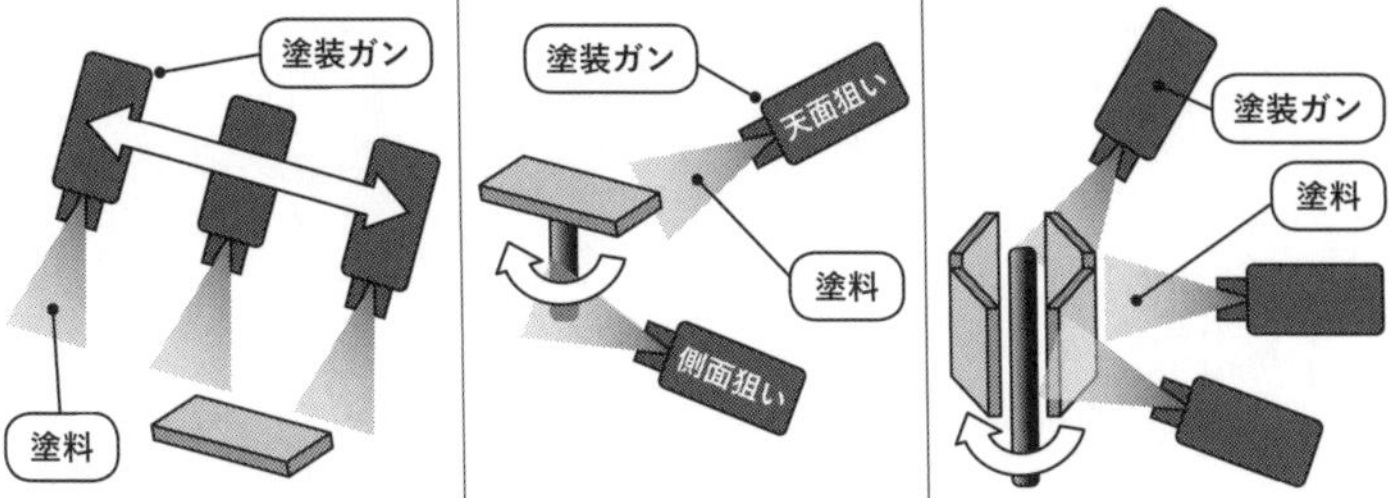

ロボット塗装	スピンドル塗装	NEW! スピンドル塗装
成形品を固定し、塗装ガンを動かして塗料を塗布する。	成形品を回転させ、固定した塗装ガンで塗料を塗布する。	成形品を回転させ、ロボットで塗装ガンも動かし塗料を塗布する。
メリット	**メリット**	**メリット**
精度の高い塗装が可能	塗装スピードが速い	塗装工数がかからない
デメリット	**デメリット**	**デメリット**
手吹き同様の工数がかかる	塗料使用量が多い	特になし

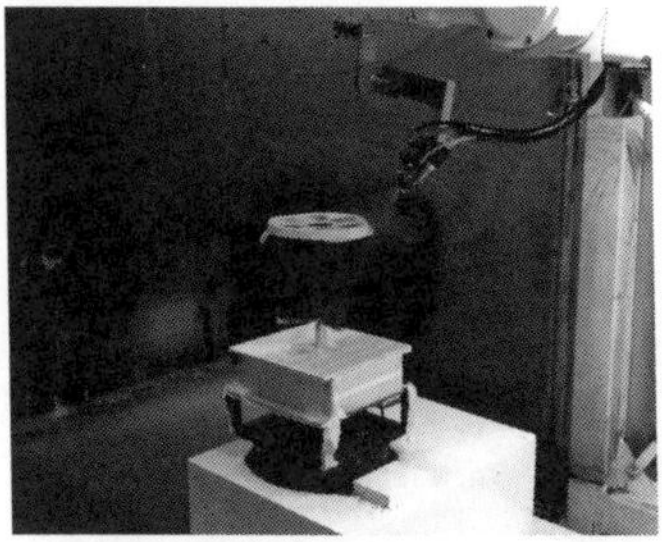
スピンドル付きロボット塗装機。

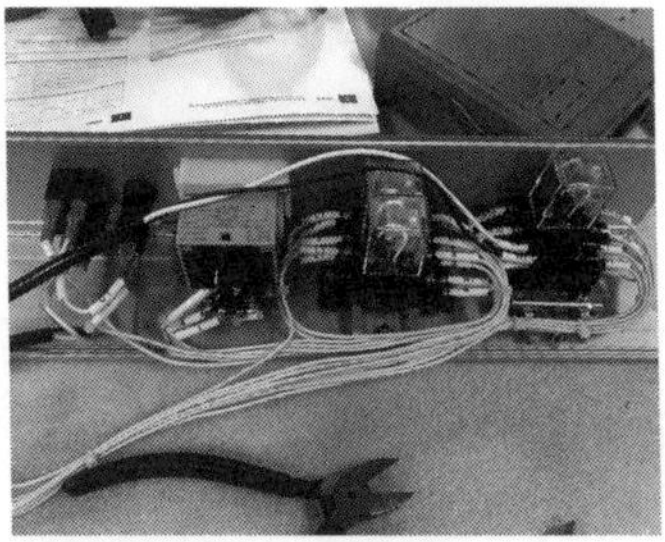
遊休部材でつくった制御回路。

チベーションを上げることにもつながったはずです。

天昇電気は2017年3月期決算で、過去最高益を達成し、また9年ぶりの復配（株式配当金の再開）も果たします。このニュースは『経済界』2018年3月号の「2018年注目企業44　ものづくり企業編」にも掲載されました。

まとめ

売り上げの大半を占めていた仕事が突然なくなり、売り上げが激減。倒産の危機に直面しましたが、企業の存続を賭けて、改めて全員参加のカイゼン活動を強化しました。

その後、生産の中心を電機から自動車へとシフトさせる過程で､KZ 法で工場内のスペースを確保したり、休眠設備の再活用を自分たちの手でおこなったりする全員参加のカイゼンの継続と実行が大きな貢献を果たし、経営状態は回復。過去最高益を出すことができました。

【事例 #4】

海外を含む全工場で一緒にカイゼンをし、生産能力やリードタイム短縮などの技術力を向上させ、売り上げを伸ばした精密機械加工メーカー

・

株式会社 パーツ精工

本社所在地	埼玉県三郷市新和1丁目83番地2
設立	1985年
資本金	8730万円
従業員数	300名
業種	精密機械加工業
工場	埼玉県三郷市（本社工場） 埼玉県越谷市（表面処理工場） 福島県西白河郡、鹿児島県薩摩川内市 中国、フィリピン
キーワード	工場のショールーム化による顧客開拓、 海外工場育成、現場カイゼン、カイゼン発表会

1　カイゼン前のパーツ精工の様子と社長の考え

パーツ精工は、精密機械加工を受注生産でおこなう会社です。多くのライバル会社があるなかで、生き残り、勝ち進むために必要な要素は品質・納期・価格の面で優位性を持つことだとされます。しかしBtoBの業態で、当時の取引先数は1000社を超えていました。個々の商品に求められるレベルはそれぞれ異なっており、共通要素はありません。そのすべての要求に短時間で応え続けることは極めて難しく、受注量の増加に伴って、徐々にではありますが、納期や品質の面で問題が出始めていました。

ただ、こうした困難は、今に始まったことではありません。パーツ精工の現場には、とてつもなく難しい要求や状況を乗り切った経験がたくさんあったのです。技術や情報の共有化を図る、いわゆる「改善事例集」のような仕組みもありました。しかし、上手く活用できておらず、そうした過去の事例やノウハウのほとんどは、当事者個人の記憶に蓄積されているのみで、社内での共有が十分されているとはいえない状況だったようです。

それでも、これまでは大きな支障はありませんでした。しかし、仕事がより精密で複雑になり、受注も増え続けるなかで「このままではいけない」ということが明確になってきていたのです。
大田憲治社長は、こうした問題を何としても解決しなければいけないと考え、その方法として全員参加のカイゼンをおこなうことを決断。２０１２年5月から始めるカイゼン活動の指導をわたしに依頼しました。

お引き受けする条件としてわたしがお願いしたのは、社長と役員の方々のカイゼン会への常時出席です。大田社長はカイゼンを通じて、グローバルレベルでの技術力向上を達成したいと考えておられました。これは決して簡単な目標ではありません。この大きな目標を実現するためには、カイゼンの場に、常に経営判断ができる方がいらっしゃることが大切だったのです。

2　KZ法の実施

カイゼン会を実行するにあたり、まず本社工場を社長や幹部の方々と一緒に見てまわりました。基本的なカイゼンは一応できていましたが、その多くが個人レベルに留まっていたのを覚えています。たとえば工具のつかい方も作業者ごとにバラバラです。こうしたバラツキを可視化し、統一することが必要だと判断しました。

その第一歩がKZ法の実行です。本社工場の現場の一部をつかい、社長はもちろんのこと本社工場の各部門の方々にも参加してもらうことを決めました。

約30名の参加者に、30枚ずつのカードを配り、1ヶ月以内につかわないモノ、問題のあるモノにカードを貼ってもらいました。それらを外に出し、不要、不急、問題ありの3つに分類します。

和気あいあいとした作業のなかで、自然に情報交換や議論が始まり、そしていろいろな問題点が顕在化していきます。この様子を見ていた大田社長は「やはり全員参加のこのやり方が良さそうだ」と実感したそうです。

たしかに「技術の共有化」という問題は、ただ資料をつくって配布するだけでは解決できません。KZ法のように、みんなが同時に実際のモノを見ながら活動し、会話を交わすことが大切なのです。

これは、パーツ精工の社是『心のキャッチボールを大切にしよう』に通じる考え方でもありました。以前から、大田社長は従業員が心を通わせ、楽しく、レベルの高い仕事をし、成長してほしいと考えておられたのです。KZ法が生み出す自然なコミュニケーションは、まさにぴったりでした。

そこで、これから始める2ヶ月に1度のカイゼン会には、当時あった国内の2工場（三郷本社工場、白河工場）に加え、海外の2工場（中国深セン、フィリピン）からもそれぞれの代表者を呼んで、参加してもらうことになったのです。

もともと、多くの現場には数多くのカイゼンや工夫があるものです。

現場の作業者ならば、誰でも与えられた仕事を遂行するにあたって自然にいろいろな工夫をします。複雑な加工が必要ならば「どうやってつくろうか」「もっと効率よくできないか」を考えるでしょう。問題が起きたときには「どうすれば同じ問題が起きないようにできるか」と未然防止策を工夫するものです。パーツ精工でも、真面目な現場従業員の方々が、良いモノを、納期通りにつくり、出荷するために、日々あらゆる手段を講じていました。

しかし残念なことに、当時のパーツ精工の製造現場には、起きたことを振り返ってまとめる風土はありませんでした。こうしたカイゼンや工夫のほとんどが体系化されることなく、他の現場へ横展開されることもなく、消えていたのです。そのなかには有効な技術的ノウハウやトラブルの未然防止策もあったかもしれません。

これは会社にとって大きな損失だといえます。

カイゼン発表会は、このようなカイゼンという貴重な財産を眠らせないためのものです。各工場が実行したカイゼンを発表し合い、良いカイゼンを発見して評価し、横展開することで、情報のレベルアップと共有化が図れるとわたしは確信していました。

発表会の目的はそれだけではありません。

カイゼン発表会は、経営者や役員にとって、現場に存在する潜在能力を発見し、経営に生かす場となります。本書をここまでお読みの方はおわかりの通り、**カイゼン力は重要な経営資源なのです。**

評価される作業者にとっては、カイゼン発表会は仕事のモチベーションが高まる場だといえます。発表されるカイゼン事例の多くは、彼らにとっては仕事の流れのなかで当たり前に実行したものです。それが経営者に直接認められるのですから、やる気が出るでしょう。これは、会社全体のカイゼンの推進力が強化されることでもあるのです。

3

海外工場も参加したカイゼン発表会を開始

パーツ精工の全社カイゼン発表会は、2ヶ月に1度のペースで丸一日かけておこなわれます。基本の会場は本社工場です。社長および役員、国内4工場の工場長およびカイゼン実行者数名、さらに中国、フィリピンにある海外工場からは各社長と現地代表リーダーが来日して参加します。それだけでなく営業、設計、システム、管理のスタッフまで全部門が加わり、直近に実行したカイゼン内容を発表するというものです。

製造部と各部メンバーの協力でKZ法を実施。

端材置き場を設置。加工可能な長さを可視化。

開始当初は、それぞれの工場がおこなったKZ法の様子と、その結果わかった問題点とその対策の発表がほとんどでした。

基本的な整理・整頓・清掃の3Sからカイゼンが始まったというわけです。

工場全体の工具をメイン通路に出した。

他部門の協力でサイズ別に整頓。

このカイゼン発表会には、歴史や文化の異なる海外工場も参加しています。

お互いがきちんと理解しない状態で情報だけをやりとりしても、カイゼン力は高まりません。そこでカイゼンの目的や流れを記入する用紙を統一のものにしました。この用紙は、カイゼンを単なる思いつきの実行で終わらせず、きちんと体系立てて考える習慣をつくるのに大いに役立ちました。

発表は、現場の参加者にとってはアイデアの宝庫です。漠然とただ聞いて、感心しているだけでは

在庫棚の整理整頓と表示のカイゼン

棚段番号の表示。

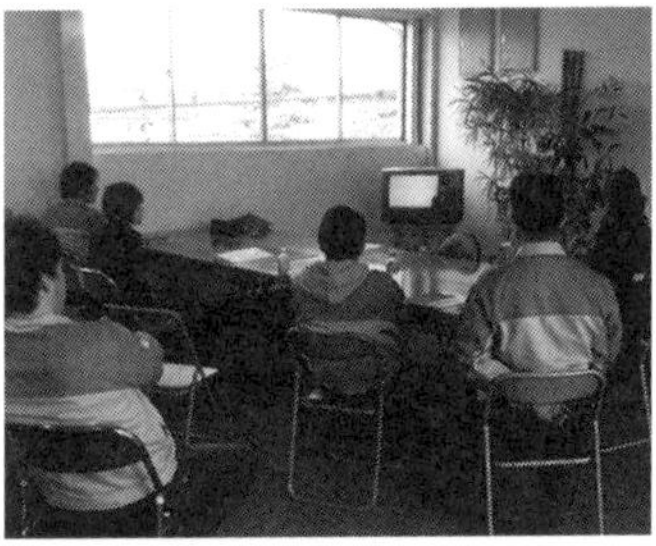

KZ法勉強会。

エリアの吊り表示。

KZ法を実施し不要不急品の選別をおこなう。

作業ルールの表示。

期間による区分けをして不動在庫を可視化。

機械清掃強化

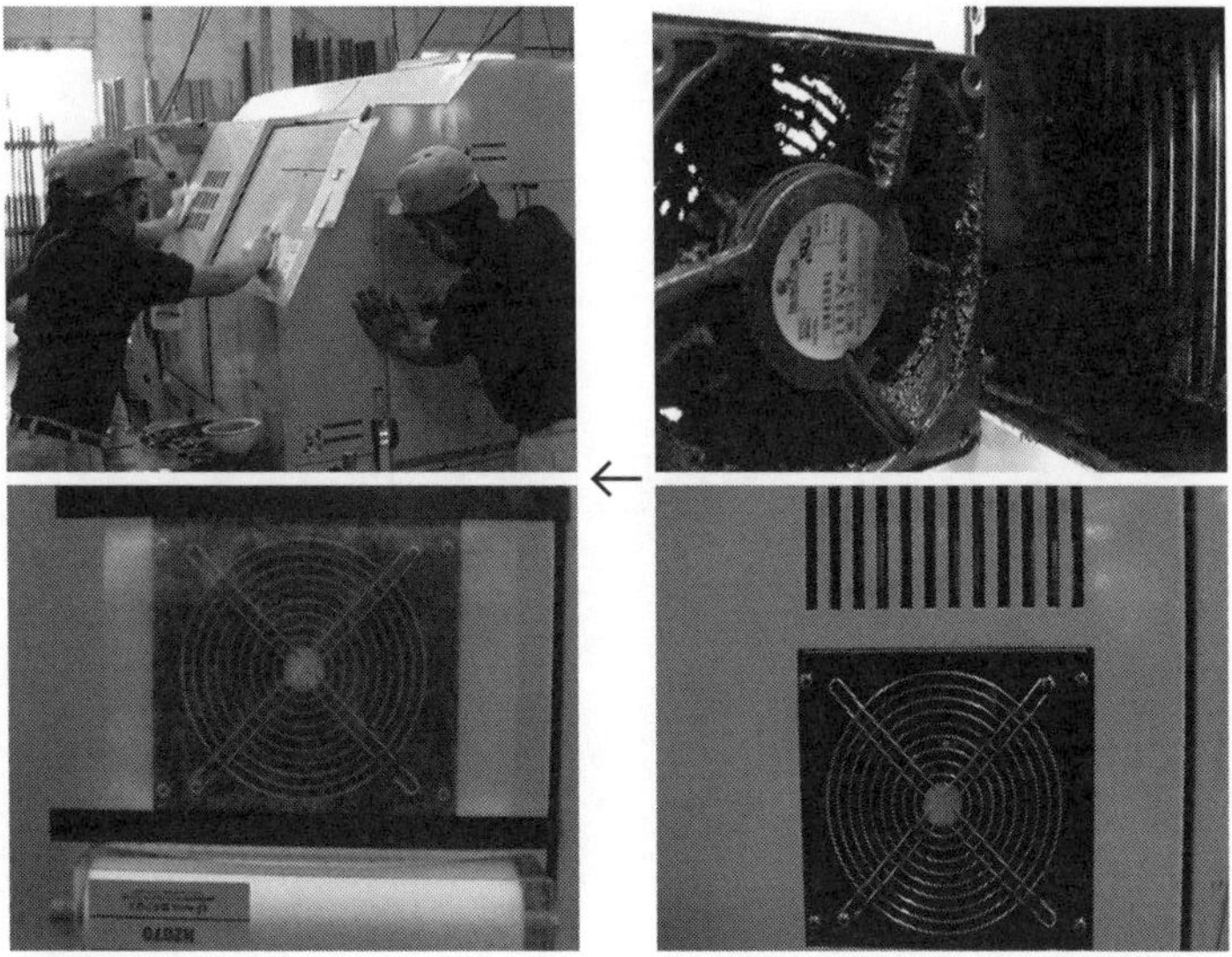

設備清掃日は全員参加。エアフィルターを設置した。

汚れた吸い込み口。定期的な清掃ができていない。

意味がありません。全参加者が「このアイデアは、自分の工場でどのように応用し、実現できるか」を考える場でもあるのです。

　パーツ精工は、とりわけ強くカイゼンの横展開を求めていました。１つの工場で成果のあった良いカイゼンを、それぞれの工場がマネて広がることが期待されていたのです。

　とはいえ「あの工場のマネをするように」と上から強く命令しても、現場の工場が必ずその通りになると

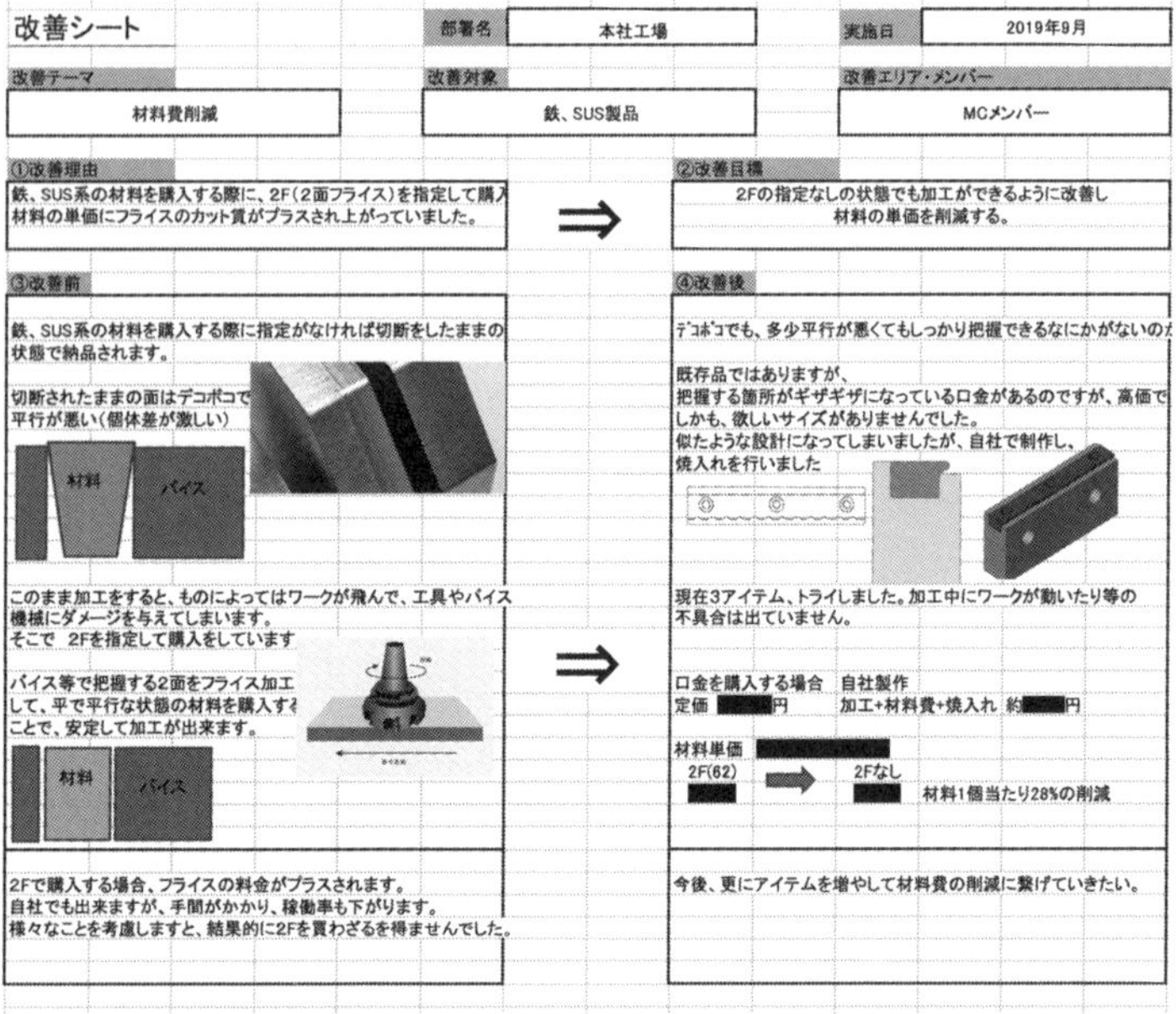

改善シート

部署名	本社工場	実施日	2019年9月		
改善テーマ	材料費削減	改善対象	鉄、SUS製品	改善エリア・メンバー	MCメンバー

①改善理由
鉄、SUS系の材料を購入する際に、2F（2面フライス）を指定して購入
材料の単価にフライスのカット賃がプラスされ上がっていました。

⇒

②改善目標
2Fの指定なしの状態でも加工ができるように改善し
材料の単価を削減する。

③改善前
鉄、SUS系の材料を購入する際に指定がなければ切断をしたままの
状態で納品されます。
切断されたままの面はデコボコで
平行が悪い（個体差が激しい）
このまま加工をすると、ものによってはワークが飛んで、工具やバイス
機械にダメージを与えてしまいます。
そこで　2Fを指定して購入をしています
バイス等で把握する2面をフライス加工
して、平で平行な状態の材料を購入する
ことで、安定して加工が出来ます。

⇒

④改善後
ﾃﾞｺﾎﾞｺでも、多少平行が悪くてもしっかり把握できるなにかがないのか
既存品ではありますが、
把握する箇所がギザギザになっている口金があるのですが、高価で
しかも、欲しいサイズがありませんでした。
似たような設計になってしまいましたが、自社で制作し、
焼入れを行いました
現在3アイテム、トライしました。加工中にワークが動いたり等の
不具合は出ていません。

口金を購入する場合　自社製作
定価 [redacted]円　加工+材料費+焼入れ 約[redacted]円

材料単価 [redacted]
2F(62) [redacted] → 2Fなし [redacted] 材料1個当たり28%の削減

2Fで購入する場合、フライスの料金がプラスされます。
自社でも出来ますが、手間がかかり、稼働率も下がります。
様々なことを考慮しますと、結果的に2Fを買わざるを得ませんでした。

今後、更にアイテムを増やして材料費の削減に繋げていきたい。

カイゼンの目的や流れを記入する用紙を統一。

は限りません。現場にはそれぞれ継続してきたやり方があり、「やらされ感」を持ちながらでは、なかなか動けないものだからです。

カイゼン発表会で重要なのは、自発性です。

現場の作業者は誰もが、モノづくりの技術レベルを上げ、さらに良いモノをつくれるようになりたいと思っています。良いカイゼン発表を見れば、当然「どうしたら自分の工場でこれを再現できるか」を考え、その場で相談し始めるものです。こうした心の奥から湧き出る自発的な行動は、強いモチベーションとなります。

4　カイゼンの全工場への横展開

あるカイゼン発表会で、本社工場から「つかいやすい生産計画ボード」というカイゼンが発表されたことがあります。

パーツ精工の手がける仕事には、受注内容の確定が遅かったり、確定後の変更も多いという特徴がありました。そのため間違いが起きやすく、顧客からのクレームや判断ミスによるロスも発生していたのです。

作業指示書を差し立て板に入れる。

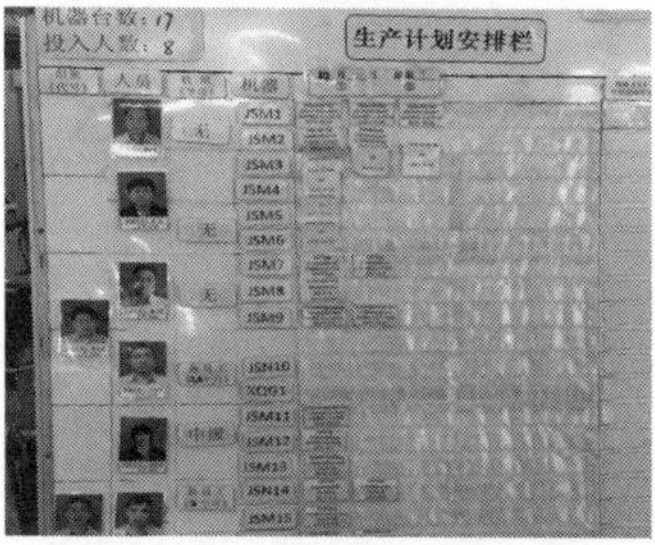

中国工場でも同様な生産計画ボードを導入。

このとき発表された生産計画ボードは、作業指示書を差し立て板に入れるものでした。シンプルですが、全体を一覧しながら部分調整ができる非常に優れたものでした。この発表には全参加者が感心し、その場で横展開することが決定します。そして2ヶ月後には、全工場への展開が達成できました。

発表会は午前で終わり、午後は工場見学会をおこないます。

この見学は、パワーポイントなどで発表されたカイゼン内容を、自分の目で、現場・現物で、確認する場です。実際に現場に足を運ぶことで、共有した情報や技術の理解を深めることができます。この場で今後の横展開や、さらなるカイゼンが話し合われ、全工場へとより具体的に展開されるというわけです。

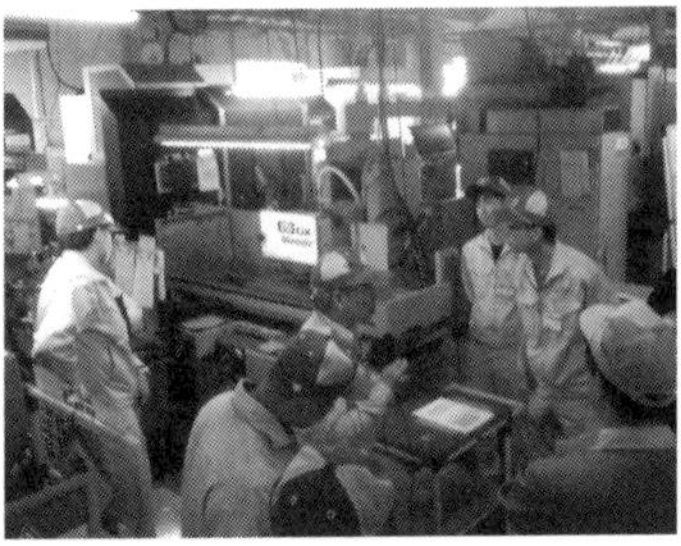
見学会でカイゼン内容の現場・現物を確認。

5 全工場でカイゼンのレベルが向上する

整理・整頓・清掃の3Sレベルから始まった各工場のカイゼンは、他工場から発表されるカイゼンの共有、横展開を繰り返すことで、どんどん向上していきます。

あるとき、中国工場の中国人技術者から、ベースプレートを工場のマシニングセンター

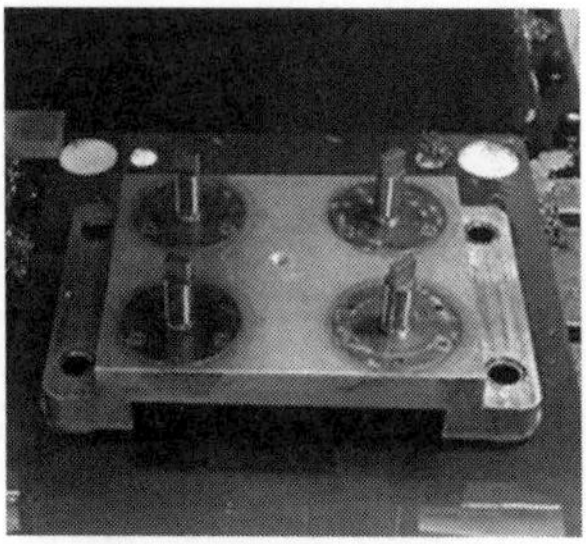
機械に取りつけたベースプレート。

全社統一規格にカイゼンしたベースプレート本体。

に設置するカイゼン事例が発表されました。

ベースプレートは、部品や工具の位置を決める「治具」と呼ばれる補助工具の一種です。目的に合わせて金属のプレートに追加工を施すことで、加工治具設計のモジュール化や絶対基準化がおこなえます。これまでも各工場でつくられていたのですが、その都度、必要に応じたバラバラなものだったのです。

しかし、このとき中国工場が発表したベースプレートは非常に優れた構造を持つことが全員すぐにわかりました。そして、その場で全社共通規格によるベースプレート作成と一斉展開が決まったのです。基となるベースプレートをつくった中国人技術者のまわりには、当然、全工場の技術者の輪ができ、設計図面のやり取り、質問が始まりました。

その後、全社共通のベースプレートが全工場のマシニングセンターに設置されました。このカイゼンによって全社の段取り替え時間は半減し、小ロット生産でも生産性を上げられるようになったのです。

6 女性従業員の何気ないカイゼンが生んだ変革

また、ある発表会では、女性従業員が自分のおこなった気配りのカイゼンについて発表しました。

彼女は、新規の注文があると、書類に過去の類似商品の設計図と加工工程表を添付するようにしているという内容です。設計担当者の作図時間を短縮する役に立つのではないかという気配りから生まれた行動でした。そして、これまでの事例を振り返ってエクセルにまとめた、過去の類似設計を活用するためのフォーマットを発表したのです。

発表したご本人は**「親切な仕事のやり方」**という趣旨の素朴なカイゼンを発表したつもりだったようです。

しかし、聞いていた社長、役員の方々の驚きは相当なものでした。

1000社を超えるクライアントを持つパーツ精工では、多様化し続ける要求に応えるため、日々、新たな設計図が作成されています。もし、ここにかかる時間を全工場で短縮できれば「厳しい納期」という大問題を解消することができるからです。

さっそく、このとき発表されたフォーマットを基に、過去の設計をデータベース化する作業が始まりました。技術部門が中心となって類似した設計をパターン化して整理し直し、加工方法とセットにしたものが完成。その結果、設計時間は例外なく短縮されるようになりました。クライアントからバラバラの注文を受けても、パーツ精工はそれを標準品であるかのように扱えるようになったのです。

このような海外工場を含めた全社的な活動を継続したことで、パーツ精工の加工精度の高さ、納期遵守の信頼、値段の適正さは、顧客にさらに広く認知されるようになりました。その結果、売り上げは向上。2016年度には鹿児島に新工場を設立し、中国工場、フィリピン工場も拡大を続けています。

まとめ

現場の工場がそれぞれ実行したカイゼンをカイゼン発表会の場で共有しながら、全体のカイゼンのレベルを上げていく活動を続けました。

そのなかで発表された中国工場のベースプレートや女性社員の素朴な気配りといったカイゼンが「多様な注文に効率的に対応する」という、パーツ精工の強みを特長づけるモノづくり開発につながります。

この改革を起こしたのは、日々「少しでも良いモノをつくりたい」と思いながら作業をしている現場の人々の小さなカイゼンでした。社員みんなが一体となったからこそ、このような普通のカイゼンのなかから、大きな経営改革につながるカイゼンを引き出すことができたのです。

【事例 #5】

協力メーカーも交えた
カイゼンで商品を美味しくし、
売り上げ大幅アップを実現

・

株式会社 A製菓

設立　1980年

資本金　7000万円

従業員数　120名

業種　菓子製造・小売業

工場　国内に5工場

キーワード　協力メーカーの参加、KZ法、カイゼン発表会、社長の味に対するこだわり

1　カイゼン前のA製菓の様子と社長の考え

A製菓は、全国の主要なデパートで売られている高級菓子をつくっているメーカーです。安定した売り上げの主力製品に加え、開発した新商品でも順調に売り上げを伸ばしていました。しかし、市場は急激に変化しています。少子高齢化の影響も、今後ますます大きくなるでしょう。

K社長は、そうした将来に備え、さらに商品力を上げる必要性を強く感じていました。その実現にあたっては、トップが戦略で主導するだけでなく、従業員が参画し自ら実行するカイゼンが必要だと考えたそうです。それも自社のみでなく協力メーカーとも力を合わせて総力を結集した全体最適のカイゼンを実行したいと考えました。そうして2011年7月にわたしが指導の依頼を受けたのです。

カイゼン指導をするにあたり、まずA製菓のたくさんある工場のうち、お菓子を焼く工場と梱包する工場の2つをK社長と一緒に拝見しました。現場に入った社長は、すれ違うすべての現場従業員に満面の笑みで「ご苦労さん！」と声をかけます。声をかけられた従業員も嬉しそうに「お元気ですか？」といった返事を返していました。和気あいあいとした現場の雰囲気を見て、わたしはこの会社を一気に好きになりました。

しかし社長はただ優しいだけではありません。工場内を歩きながらも、しばしば生産中の製品を口にして「今日はとてもおいしいね」とか「ちょっと焼き具合をチェックして」とフィードバックを欠かさないのです。表情は変わらずニコニコされていましたが、それは明快な指示であり、味について決して妥協しない厳しい姿勢を感じさせるものでした。それは、全従業員に対する「A製菓は常においしさを追求する」というメッセージでもあったのでしょう。

2つの工場を初めて見て感じたのは、両工場ともに工場長を筆頭とした一体感の強さでした。工場にいる人々すべてが、それぞれ生産必達に向けた高い意欲を持っている。それは、これまで積み上げられてきたカイゼンの成果だと感じました。

しかし、K社長の考える将来像を念頭に置けば、さらにカイゼンするべき点があります。とりわけ気になったのは、工場スペースの狭さでした。工場内は拡張余地がほぼない状態になっていたのです。

工場スペースが狭くなっていた原因の1つは在庫でした。A製菓の主力製品であるアソート（詰め合わせ）は、1つの箱にたくさんの種類のお菓子が入ったものです。完成品を1つつくるためには、その〝部品〟となる多くのお菓子が必要で、しかも梱包箱詰め時には、その〝部品〟がすべて同時に供給されなくてはいけません。そのため、工場では自然に在庫を早目、多目につくっていたようです。

その結果、中間在庫が多く溜まり、生産管理も複雑になっていました。ときには生産計画に対して、遅れが発生することもあったといいます。現場にモノがあふれ、拡張余地がないように見えたのには、そんな背景があったのです。

また、増産も簡単にはできそうにない状況でした。店舗への供給に問題はなかったものの、現場の方々はすでにかなり忙しく働いておられたからです。各工場ではこれまでもさまざまなカイゼンを実行していたのですが、わたしから見ると、その多くは工場単体でのカイゼンであり、部分最適になっているようでした。つまり、全社で情報を共有したうえでの全体最適のカイゼンにはなっておらず、効果が限定的なものに留まっていたのです。

もし、この状態のまま販売が増えれば、生産が追いつかなくなり、出庫に遅れが生じて、やがては店舗への供給に問題が出てしまう可能性があります。それを防ぐために現場が無理な生産をすれば、品質の劣化や生産性の低下、コストの上昇などを招き、いずれは経営的な問題にもなりかねません。また、工程が停滞することは、食品においては鮮度が落ちることにもつながります。それは、お客様の満足度を下げてしまうことにもなるのです。

この状況を変えるにはどうすればいいかを考えました。

聞けば、A製菓のモノづくりは、自社工場だけでなく、協力メーカーとも連携して最終的な商品形態に仕上げるという体制になっているといいます。全体最適のモノの流れを実現するためには、これらの会社も参加するカイゼンがベストです。そこで、K社長が当初考えていた通り、A製菓単体ではなく、協力メーカーも一緒になったカイゼンを実施することになりました。

とはいえ、参加していただく協力メーカーには、どうしても取り組みに対する温度差があるものです。協力メーカー各社もそれぞれカイゼンをしてきていますから「今さらカイゼンなんて……」との思いを持っている会社もあったでしょう。しかも当時は各社間の連携が不十分なところがあり、彼らも人手をかけて大忙しで対応している状況でした。当初は「これ以上のことができるとはとても思えない」という反応や反発もあったことを覚えています。

2　KZ法の実行

A製菓の社長、役員、社員と協力メーカーの方々が一緒になっての初めての会合が開かれました。その席で、わたしがお話ししたのは次のようなことです。

「ここにいらっしゃるみなさんが、すでにいろいろなカイゼンを実行しておられることは存じ上げています。しかし、そうした頑張りにもかかわらず、最近ではいろいろな問題が生じているようです。そこで、今回はそれぞれ個別ではなく、みなさんと一緒にカイゼンをすることになりました。お互いに目標を共有化し、協力し合って相乗効果を生み出すカイゼンをしたいと思っています。

これまでのカイゼンは、どちらかというと問題が起きたときにそれを解決し、元に回復するカイゼン、すなわち問題解決型のカイゼンが中心であったと思います。しかし今回おこなうカイゼンは問題解決ではなく、課題達成型のものです。各社が別々におこなう部分最適ではなく、一体となった全体最適を目指します」

この話にみなさんは耳を傾けてくださいましたが、これだけでは単なる理屈に過ぎません。実際にどこがどう従来のカイゼンと違うのかは、わからないでしょう。

カイゼンにおいて一番大切なことは、実行することです。

そこで、まずはA製菓の主力工場であるH工場において、協力メーカーも含む全員でKZ法を実行することとしました。

じつをいうと、協力メーカーから参加した方の多くは、この日のカイゼン会をコンサルタントによる講演会だろうと思っていたそうです。ですから、その場で全員参加のカイゼン活動を実施すると聞いて、驚いたようでした。

このカイゼン会には、協力メーカーの方々も参加しています。KZ法では、社長を含めた参加者すべてが30枚のカードを貼るのですが、その人たちはおそらく初めて入る親会社の工場で、どうするべきか戸惑ったことでしょう。情報はありませんし、しかも親会社の現場ですから「本当に貼っていいのか？」と思われるのも当然です。

そこで、わたしはこうお願いしました。

「KZ法は、口の代わりにカードをつかうブレインストーミングです。カードを正しく貼るかどうかは重要ではありません。間違ったら剥がせばいいだけなので、とにかく思い切って貼ってください」

もっとも大切なのは**30枚すべてを1枚残らず貼り切ること**です。協力メーカーのみなさんにも思い切ってテキパキ貼ってもらうことにしました。

みなさん最初は30枚ものカードをすべて貼るのは不可能だと思ったようです。しかし、実際に作業を始めると、散らかった現場にカードを貼るのはまるで難しくなく、アッという間に終わりました。また「大きな声でおしゃべりをしながら貼りましょう」と事前にお願いしていたのですが、みなさん、自発的にたくさんの気づきや発見を声に出しながら作業してくださり、いろいろな考えが生まれたようです。この段階から、ごく自然に、心の交流や情報の共有化が生まれ、それまでの工場間の壁、会社間の壁が壊れ始めました。

ＫＺ法を実行すると、２つのことが生まれます。

まず１つは空きスペースです。

ＫＺ法では、工場のそれほど広くない一角にあるモノに数百枚のカードを貼り、外に運び出します。すると、その場所はガラガラになり、空きスペースが生まれるのです。運び出されるのは１ヶ月以内につかわないモノや問題のあるモノですから、基本的には、今、生産するのに必要なモノは残っているといえます。

もう1つは対話です。

外に出されたモノは、すぐ使わないモノや不要なモノですが、すべては誰かがおこなった仕事の結果だといえます。その原因は、つくり過ぎや買い過ぎ、置き場所が不明瞭だったなど、さまざまでしょう。KZ法では作業をするメンバーにその当事者がいるので、現場でモノの実物を前にしながら、根本的なカイゼンの対話をすることになるのです。

当時、A製菓では、新商品の生産を自社工場でおこないたいと思っていましたが、H工場にはそれに見合うスペースがないと、あきらめかけていたのです。しかし、30人ほどの参加者でKZ法のカイゼンを実行すると、アッという間に必要な面積が生み出されました。

それと同時に、生産現場における問題点も共有できたはずです。今、何が、どれだけ必要なのかといった情報の伝達や、現場サイドでの整頓の不十分さがスムーズなピッキングを妨げていた現状など、課題も明確になりました。

この日のカイゼン会では、さらに、もう1つ大切なものが生まれていました。

それは新たなカイゼンの取り組みへの意欲です。

KZ法によるカイゼン前のH工場。

KZ法実施後、こんなに広くきれいに。

日々、現場で過ごしているとモノがあふれ返っている環境が当たり前になってしまい、変えられないものと思いこんでしまいがちです。ところが、**KZ法を実行すると、自分たちの手でドンドン新しいスペースが生み出されていくのを実感できます。**空きスペースの広がる光景を目の当たりにしたことで、参加者からは自然に「次はあれをしよう」「あの場所はこうできるんじゃないか」と素晴らしいアイデアが次々と出るようになりました。これまで無理だとあきらめていたこと、考えもしなかったことが「できる!」という体験から、これから進めるカイゼン活動が持つ大きな力を共有することにつながったのです。

KZ法を実行すると、これまで見えていなかった課題や問題も露呈します。こういうとき、参加者は社長に怒られるのではないかと思ってビクビクしてしまうことがあります。ところがこの会に参加した社長はまるで怒ることなく、むしろ笑いながら「このやり方はいいなあ。問題がよく見えてくるやないか。もっと思い切ってやろうや!」と、むしろ励ましていました。そのことも、参加者のモチベーションを上げたといえます。

また、ほんの数時間でこれほどの成果を出せたという点も重要です。これは、一部門の努力だけで出せる結果ではありません。会社や部門、役職の垣根を越え、みんなでやったからこそ、わずか数時間でできたのです。この体験を、協力メーカーのみなさんも含めたカイゼン会の参加者全員で共有できたことが、今後のカイゼンへの大きな原動力となりました。

実際、このときの参加者全員が確認したのは、これまで指摘されてきた課題（工場内の在庫の多さや段取り時間の長さ）の多くが、H工場単独では解決できないものだということでした。

たとえば、カード貼りでは、以前「材料が足りない」といわれ、あわてて段取り替えをしてつくったモノが、結局手つかずで放置されていたことに気づきます。鮮度管理を要するモノが先入れ先出しできない状態で置かれていることもあります。こうした問題は個人ではなかなか解決できませんし、会議室で解決しようとすると責任追及する形になってしまいがちです。しかし、前後の工程それぞれの担当者と一緒に現場で現物を前にすれば、自然に「どうやったらこれを解決できるだろう」と議論する問題解決型の話し合いになり、答えを出しやすい形になります。

それまでのカイゼンは、別々の会社、工場でおこなわれてきました。他の会社ではどのようなカイゼンをしているのか。自分たちのカイゼンの成果が他の工場にどんな影響を与えているのかについて、誰もほとんど知らなかったのです。今回、全員でそれを知ったことで、おぼろげながらも「これから何をすれば現在の問題を解決できるか」のイメージがわき始めました。

つまり、このカイゼン会は、これから始まる新しいカイゼンの進め方を全員で理解し、共有する場でもあったのです。すべての参加者には、自分の工場でそれぞれ独自の工夫を織り込んだKZ法を実行していただきました。そして、その過程で見つかったそれぞれの工場の問題点を全員で把握し共有するようにしました。

3 定期カイゼン会・カイゼン発表会の部（午前）

その後、定期的なカイゼン会が始まりました。毎月、A製菓H工場に集合し、午前中はA製菓の各工場、協力メーカー各社が自分たちのやったカイゼンを発表します。

定期カイゼン会の参加者は、A製菓社長を筆頭に、幹部社員、全工場長、担当者および協力メーカーの全社長および幹部社員。関係者が一同に集まる場で、それぞれが実行したカイゼンについての発表を聞きました。発表される内容は極めて具体的ですから、もし他の工場でも効果が出そうなものがあれば、その場で横展開の指示が出されます。その成果も、次回のカイゼン発表会で発表し合うことになるので、良いカイゼンがどこかの工場で実行されれば、瞬時に他工場でも実現されることになるのです。

じつは、工場内にはカイゼンするべきことがたくさん潜んでいます。しかし、その大半は各担当者が抱えており、顕在化しません。もちろん、その時点で生産性の低下や品質のバラツキなどが生じているのですが、忙しさのなかでも何とか大きな問題になるのを抑え、対応するのが担当者の腕の見せ所になりがちだからです。

しかし、このような定期的なカイゼン会が開かれ、全工場がカイゼンの発表をしなければならなくなると、話は変わります。

各工場長は、改めてカイゼンすべきことを探し、実行しようとします。すると、これまで隠れていた問題がカイゼンの対象として浮かび上がることになるのです。

浮上する問題の多くは、その工程の担当者1人では対応しきれないレベルのものばかりです。通常の手順では、機械の不具合などの問題を知らされた上司が対応しますが、上司も多忙で対処が後回しになるというケースが少なくありません。「ひとまず様子を見よう」と、大故障になるまでだましだましつかい続けることになりがちです。

その点、この定期カイゼン会は、工場長が直接関与する、実行を前提としたカイゼンなので、担当者や部門任せになることはありません。問題に関係する人々が全員参加して対処するので、多くの問題を素早く解決することができるのです。

現場にいると「みんな忙しいのに申し訳ない」「自分だけわがままは言えない」と考えたり、あるいは「どう頼んだらいいかわからない」と本来するべき対応を後回しにしてしまう、ということがよく起こります。しかし、このように、自分たちだけでは不可能だけど、必要な人全員でやればすぐにできてしまうことが、工場にはたくさんあるのです。

定期カイゼン会が何度かおこなわれ、各工場が後回しにしてきた問題が次々とカイゼンし始めると、さらなる変化が起こりました。それまでほとんど要望をしなかった現場からも「ここを直したほうがいい」「あの問題にも対処したい」という声が上がるようになったのです。

おそらく、現場の作業者の方々は、それまで「そういうモノだ」と思い、黙っていたのでしょう。それを変えたのは、職人魂でした。機械の不具合が直れば、生産性が上がるだけでなく、製品が空気に触れる時間も短くなり、わずかですか製品の味も良くなります。やはり、現場の方々も、おいしい製品をつくりたい気持ちを社長と同じく強く持っていたのです。

たしかに作業者にとって、自分の仕事が楽になるのは嬉しいものでしょう。しかし、自分の仕事を通じ、よりおいしい製品ができる喜びもまた、それ以上に大きいのです。だからこそ、今まで「こんなものだろう」と妥協をしていた人たちが、環境を整備して良いモノをつくろうという意識で動き始めたのだと思います。

こうした意識の変化は、全社の集まるカイゼン発表の席でも見られるようになりました。各工場で実行されるカイゼンのテーマには、それまで作業者がやりにくさを感じていたことが多く取り上げられます。成功事例発表では「こうした方法でやりやすくなって良かった」と報告されるのですが、それで終わらず、みなでその事例を深く掘り下げていく議論が始まるようになったのです。

たとえば、カイゼン前の状況に似た工場が他にないか、カイゼン前後を比較しながら他のカイゼンはできないかなど、1つのカイゼンからより多くのアイデアを引き出そうという動きが活発になっていきました。

定期カイゼン会を通じて強まった工場のモノづくりに対するこだわりは、継続するにしたがって、営業や技術も巻き込むようになります。もちろん、この変化は協力メーカーを含む全社で共有されていきました。

K社長が望んでいたことが実現し始めたのです。


わたしの手がけるカイゼン4・0には、もう1つ重要なポイントがあります。

それは**数値化にこだわらない**ことです。

通常のカイゼンでは、金額効果や品質向上効果などを数値化して記述することが多いようです。しかし、効果を数値で測ることにこだわると、数値化できない部分のカイゼンには意味がないということになりかねません。

これに対し、A製菓のカイゼンでは、数字にはならなくとも、明らかに良いことはカイゼンの効果として認め、発表されます。たとえば、設備のカバーが老朽化して蒸気が漏れていたのを交換したという、一般的には「修理」であり「カイゼン」とはいえない事例も発表され、横展開可能であれば、その場でそれぞれの工場が実行するよう、共有するのです。

こうしたカイゼンも関係する各工場、会社全体へと広まれば、必ず品質やコストに良い影響を与えます。また、誰でもその気になればすぐできるような簡単なアイデアでもＯＫなので、すべての参加者にとってカイゼンが身近なものになり、カイゼンの勢いが増す効果もあるのです。

各工場の発表では、その都度、Ｋ社長が経営者の立場からそれぞれのカイゼンを評価しました。社長から直接評価されるのは、カイゼン実行者にとってモチベーションの上がるものでしょう。社長は、すべてのカイゼンに感謝を示し、その内容を丁寧にほめたうえで、さらに続けてほしいとか、広げてほしいといった経営者の立場からの具体的な要望を伝えてくださいました。口ぶりはソフトですが、その内容は指示や命令です。各工場は、納得して、実行します。

納得できるのは、経営者としてのＫ社長の言葉が、常にお客様目線だったからでしょう。

お客様にもっと喜んでいただくために必要なのは、お菓子の味をさらに良くすることでした。そのための有効な方法は、それぞれの工程で高い品質のモノを確実につくり込むこと、そしてトータルのリードタイムを短縮することに他なりません。そのモノづくりの方向性は、カイゼン会を通じて、全員に共有されていたのです。

やがて、定期カイゼン会は、参加する関係者たちの各種調整の場にもなりました。せっかく浮かんだアイデアやテーマも「持ち帰って別の機会に改めて」となると、なかなか実現に向かわないものです。このカイゼンに参加してきた人たちは、**「その場で話し合えばたいていのことはすぐ実行できる」と実感し、自然とそうするようになっていった**のです。

たとえば、生産管理部門では店頭在庫を減らすカイゼンをおこないました。それまで店舗への発送量に応じて工場の生産量を決定していたのを、実際に店頭で売れた量から決めるように変更したのです。同時に、店舗への発送頻度も隔日から毎日へと変更しました。じつは、各デパート内の店舗は狭く、商品の置き場が足りずに苦労していたのです。

非常に大きな効果のあったこのアイデアも、すべての部門の人たちが集まるカイゼン会での情報共有と議論、調整から始まっています。自分の担当する工程だけでなく、その前後の工程や、お客様や他部門の情報を全員が持っているので、全体最適のカイゼンができるのです。

4　定期カイゼン会・工場見学の部（午後）

午後は、H工場で工場見学をおこないます。

もちろん、ただの見学ではありません。参加者全員には「**お土産・お買上シート**」という紙が配布されます。

お土産とは、現場を見学したときに思いついたアドバイスのこと。

お買上は、現場で見つけた良いカイゼンを、自社でも実行させてほしいとのお願いのことです。

午後の工場見学は、このお土産・お買上シートに、それぞれ最低1件以上記入するというルールで現場を見てもらいました。こうすることで、協力メーカーの方も遠慮なく問題点を指摘でき、カイゼンのアイデアを自社に持ち帰ることもできます。お互いにとって、非常に有効な工場見学が実現できるのです。

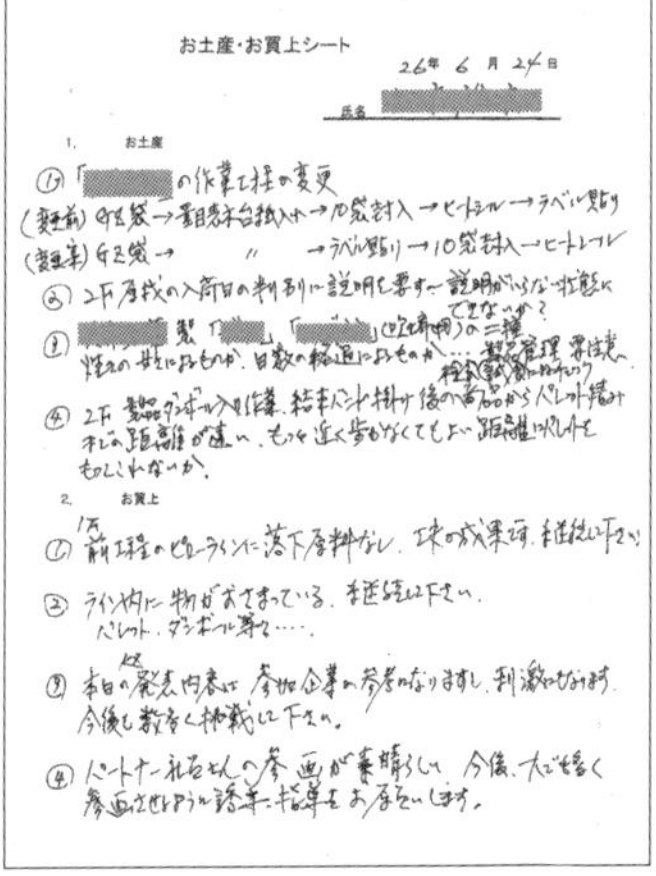

お土産・お買上シート

26年 6 月 24日

氏名 [redacted]

1. お土産

① 「[redacted]の作業工程の変更

（変更前）中袋→賞味期限印字→10袋封入→ヒートシール→ラベル貼り

（変更案）中袋→ 〃 →ラベル貼り→10袋封入→ヒートシール

② 2F 原材料の入荷日の判別に説明を要す…説明がいらない状態にできないか？

③ [redacted]製「[redacted]」「[redacted]」の二種 …

④ 2F 製品ダンボール入れ作業、結束バンド掛け後の商品からパレット積みまでの距離が遠い。もっと近く歩かなくてもよい距離にパレットをもってこれないか。

2. お買上

① 1F 前工程のピローラインに落下原料なし。日頃の成果です。継続して下さい。

② ライン内に物がおさまっている。継続して下さい。
パレット、ダンボール等々……。

③ 本日の発表内容は参加企業の参考になりますし、刺激にもなります。今後も数多く挑戦して下さい。

④ パートナーさんの参画が素晴らしい。今後、1人でも多く参画させるよう継続ご指導をお願いします。

K社長の「お土産・お買上シート」。

参加した方々は、みな現場を細かく熱心に見て、さまざまな指摘や評価を書いてくださいました。とりわけK社長が記入する「お土産・お買上シート」はいつもびっしり、たくさん記入されます。シートの性質上、厳しい指摘と、嬉しい評価の両方が書かれることになるので、カイゼンのタネが増え、現場の士気も向上するのです。

ある月の工場見学では、包装工程の現場を見せていただきました。

前に置かれた箱を大きな袋に入れる工程で、現場リーダーの方が少しいいづらそうに「じつは、とてもやりにくいのです。袋がもう少し大きければ楽になるのですが」と発言してくださったのです。たしかに袋入れの作業者は苦労している様子で、そのやりにくさは誰もが実感できるものでした。

すると、そこにいた営業とデザインの担当者が「袋の形を変えればいいのでは」といとも簡単にいったのです。生産現場の方々は、自分たちの意見で袋のデザインを変更するなんて不可能だと思っていたのでしょう。びっくりしていました。しかし、見学に参加した全員が現場で現物を見たことで、袋はすぐに大きく入れやすいデザインへと変更されたのです。それだけでなく、それ以外の入れにくい袋もすべて変更されることになり、ついでに見栄えも以前より良くなったのです。

これが、**現場で現物を前に議論することの強み**といえるでしょう。それまでできなかったことが、簡単にできてしまうことがあるのです。

5　予期せぬカイゼン効果は「利益」という副産物

こうして全社的なカイゼンを数年間続けてきたところ、ある既存商品の売り上げが継続的に向上していることがわかりました。

カイゼン会で報告されるのは全体売り上げだけだったので、当初は新商品が貢献したのだろうと思っていたのです。ところが、念のために内訳を確認すると、新商品だけでなく既存商品の伸びが、売り上げに大きく貢献していることが判明しました。驚くことに、カイゼン会を始めてから6年間、毎年、前年比10％以上の伸びを続けていたのです。

その既存商品に対して、特段の宣伝はしていません。なぜ急に売り上げが伸び、継続しているのか、最初は誰にもわかりませんでした。営業部門への聞き込みなどを通じてわかったのは、カイゼン会を始めてから顕著な成果が上がっているということです。もちろん、それまでも全社を挙げて商品のおいしさを磨き続けていたのは間違いありません。それに加えて、**協力メーカーも含めた全員によるカイゼンで生産リードタイムが短縮し、設備カイゼンや作業カイゼンで品質のバラツキがなくなり、お客様の手元に商品がより新鮮な状態で届けられるようになっていた**のでしょう。売り上げアップの原因は、継続的に全員が参加しておこなったカイゼンによるおいしさアップだったのです。

この成果は「もっと売れ！　もっと利益を増やせ！」という上からの命令で達成されたものではありません。

A製菓がおこなったのは、もっとお客様を喜ばそう、もっと楽に仕事をしよう、とみなで考えておこなうカイゼンでした。それぞれの部門が独自に身のまわりの不便を解消し、作業のやりやすさを向上するカイゼンや、味のバラツキをなくすカイゼンをひたすら続けた結果、いわば副産物として利益が増えたのです。

現場でひたすらカイゼンを続けるという「戦術」が、売り上げ増という予期しなかった

素晴らしい結果を生み、今度はその戦術が売り上げを上げるための会社の「戦略」になったといってもいいでしょう。

有名なトヨタ生産システムに代表される日本のモノづくりでは、このように戦術的な現場カイゼンから戦略が生まれるということが起こります。A製菓においてもまさにそれと同じことが起きたといえるでしょう。

まとめ

この事例は、社長の「全員の総力を結集して商品力を上げる」という希望を、トップダウンで関係部門に指示する方法ではなく、全員が身のまわりの問題を解決するカイゼン活動に委ねたものです。

社長自身が実際にカイゼンの場に参加し、その内容を直接にほめて、さらに深めたり広めたりしてほしいといった指示をしたことが、従業員のモチベーションを上げたといえます。

最初は部門内の身のまわりの整理整頓から始まったカイゼンが、やがて全員参加の関係各社にまでまたがる工程の流れのカイゼンへと発展し、当初の目的であった商品力を磨き、売り上げを向上させることができました。

5社のカイゼン成功事例に見る、8つの共通点

以上、5つの会社でおこなったカイゼンによる経営改革をご紹介しました。

これらの改革はどうして成功したのでしょうか。

その手がかりは、これらの成功事例の共通点にあるはずです。本章の最後にこれらの事例の8つの共通点を紹介しましょう。

これらはこれからの時代に対応するための新しいカイゼンをおこなうカギにもなるものです。

〈共通点1〉 現場カイゼン活動への社長の参画

ご紹介した事例では、どの社長も自ら積極的に現場でカイゼンをしています。これは、これまで多くの企業でおこなわれてきたカイゼン活動と異なっている点だと思います。

従来のカイゼンでは、社長は目標を示したり、旗を振ったりする役目を担うのが

一般的で、それなりに大きな成果を出してきました。たとえばＴＱＭ（Total Quality Management 総合的品質管理）活動ではデミング賞（日本科学技術連盟が運営）、ＴＰＭ（Total Productive Maintenance 全社的生産革新）活動はＴＰＭ賞（公益社団法人日本プラントメンテナンス協会が運営）といった挑戦目標を設定し、全社を挙げて活動をして受賞を目指す方法は、その一例です。

社の向かうべき方向性を明示し、挑戦を宣言するのは社長ですが、ステップに従って実際にカイゼン活動をおこなう主体は現場でした。

ところが、わたしの指導するカイゼン４・０では、ＫＺ法やチョコ案の実施を通じて、社長が直接、現場カイゼン活動に参加します。経営者本来の役割、使命を果たしながら、現場作業者、従業員と一緒になって現場カイゼンを進めるのです。

作業はみんなで手と足、そして口を動かしながら「ワイガヤ」のなかでおこなわれます。社長は、良いことが起これればその場でほめ、上手くいかないときは一緒に悩み、考え、励まします。こうした場では、おのずと組織の壁、役割分担の壁は消えてしまうものです。あるのは、各人の個性と持ち味そしてヒラメキ、さらには目的達成に向けたやる気と実行のみといえるでしょう。

また、この活動は、現場作業者、従業員にとって、社長の考えや自社の問題を直に感じとり、理解を深める機会にもなります。だからこそ、思いもよらない大きな成果につながるというわけです。

カイゼン4・0における社長の役割は、戦略をつくり、部下に指示するというものではありません。戦略をつくるところまでは同じですが、それを部下と一緒に実行するものなのです。

わたしは、こうすることで、現場に眠っているカイゼン力を掘り起こすことができると考えています。

現場の社員や作業者たちの頭のなかには、会社経営に役立つ素晴らしい経験やアイデアが蓄積されているものです。しかし本人はその価値を自覚していないことが少なくありません。そのため、トップダウンの一方的な指示の下では上手く発揮することができないのです。またトップダウン型のカイゼンは最終的には1人の担当者に行き着くことが多いので、個人の能力とやる気次第になるという弊害もあります。個人でのカイゼンは、豊富な経験が自由な発想を妨げたり、失敗を恐れるあまり無難な結果を求めるといった結果にもなりがちです。

これに対して、カイゼン4・0では、社長を筆頭に現場でモノづくりに関わるあらゆる人が集まって自由に意見を交換します。自分のフィールドに基づいた意見を求められれば、誰もが失敗を恐れず率直な意見や考えを話すことができるでしょう。その場には別の部門の人もいますから、連鎖的にいろいろなアイデアが出てくることも少なくありません。

そして、こうしたアイデアを社長が直接聞き、ほめたり、喜んだりすることで、その場に集まった人たちのカイゼンへの意欲は引き出され、火が点きます。

社長にとっても、現場のダイバーシティ（多様性）にあふれたアイデアは経営戦略実現への貴重な財産となるでしょう。また見つかった問題に対しては、その場で即、指示することもできるのです。

欧米の経営がトップダウン型なのに対し、日本の経営はボトムアップ型であり、それが日本のモノづくりの強さの秘密だといわれることがあります。しかしボトムアップにするだけで強い経営ができるわけではありません。

必要なのは、経営者がボトムアップ型組織の力とその有効性を認識し、それを経営に活用することです。そうした社長のいる会社が、日本のモノづくりを支えているのだといえるでしょう。ご紹介した5つの事例に登場する社長は、すべてその証しです。社長が現場で一緒にカイゼン活動をする光景は、日本ならではでしょう。カイゼン4・0は日本の会社にしかできないカイゼンだとわたしは考えています。

〈共通点2〉　社長が明確な会社の将来ビジョンを持ち、社員に周知している

5つの事例でご紹介したいずれの会社でも、社長は自社の将来像を明確に持っておられました。そして、そのビジョンをさまざまな場面で従業員に伝えていた点も共通しています。

いそのボデーの磯野社長は「地方の下請け会社のままではみんなに苦労をかけるわりに儲からないし、先がない。早く効率を上げないと申し訳ない」、大塚産業マテリアルの大塚社長は「三方良し」の考えに基づいて「従業員を本当に安心させるためには自動車以外の産業にも進出する必要がある」、天昇電気工業の石川社長は「潰れかけた会社を早く立て直してみんなにボーナスを払いたい」、パーツ精工の大田社長は「世界中にある全工場を共通の高い技術レベルの工場にして世界へ羽ばたきたい」、そしてA製菓のK社長は「製品をもっともっとおいしくしてお客様に喜んでもらいたい」と訴えていました。

これらのビジョンは、それぞれの発表会で発表されたカイゼンと結びつけて評価されます。そして、その後の活用に向けた次への指示が生まれるのです。

現場作業に携わる人たちにとって、自社の経営ビジョンは遠い存在になりがちです。大切だと頭ではわかっていても、実際の仕事との関わりが具体的にイメージできないからです。

カイゼン発表会はそのための戦術だといえます。この場を通じて、ビジョンとカイゼンが具体的に結びつき、最終的には成長したカイゼンが、具体的な戦略となることを目指すのです。

〈共通点3〉 多様な幅広い人材のカイゼン参画

KZ法には、社長はもちろん、製造、営業、設計、技術、管理など、可能な限りすべての部門代表者が参加します。決して特定の部門のみには任せません。職位も同様です。社長、役員、管理職、一般職、パートタイマー、派遣従業員、外国人労働者など、その現場に関わるできるだけすべての職位の方々に参加していただきます。決して一部の管理者、担当者に任せることもありません。多くの会社では、普段、これだけ広い範囲にまたがる人が集まる会議はないでしょう。それこそが狙いです。

会社という組織では、普段はみなそれぞれ与えられた役割に就き、それぞれ異なる角度から仕事に関わっています。こうした環境だけでは、もし共通の問題意識や課題、あるいはカイゼンのアイデアを持っていても、お互い気づく機会はありません。ときには、一部の人が解決不可能とあきらめてしまった大問題が、じつは別部門の担当者ならば解決できたのに、双方がそのことに気づいていないというケースも起こってしまいます。

ＫＺ法の現場は違います。

幅広い分野、職位の人たちが、実際の現場に集まり、それぞれの立場からの考えを声に出して話します。他部門の人から聞く話のなかには、自分がそれまで知らなかった現場の実情や考えも含まれていることでしょう。普段の分業体制では得られないそうした情報は、会社全体でのモノや情報の流れを知り、自分の仕事についての理解を深めることにつながります。こうして、驚くような新しいカイゼンのアイデアが生まれやすくなるのです。

この場に、会社全体を統括する社長が参加していれば、その効果はさらに高まるでしょう。社長がいれば、その場でできるカイゼンのアイデアは、すぐ実行の判断が下せます。KZ法で浮かび上がった全社的な問題点に対して、最適の組み合わせのチームをその場でつくり、解決にあたらせることも可能です。

これは、決断できる人（社長）と情報を持った人（現場の人たち）、そして現物の3つがそろう場でなければできません。

1人や1つの部門では絶対に無理な仕事でも、多くの人が集まって一気にやると簡単にできてしまうことは多いものです。しかし、分業制で動く会社組織においては、複雑な調整なしにこれを実行するのはなかなか容易ではないでしょう。

多様な人が参加するKZ法はこれを実現する方法なのです。

〈共通点4〉 カイゼンのハードルを下げ、全員が参加できるようにしている

カイゼン4・0では、誰かのマネやちょっとした修理といった小さな努力もすべてカイゼンと認めます。これも従来のカイゼン手法とは異なる点です。

一般的には、ユニークであることや、金額効果が大きいことがカイゼンに求められる条件だとされることが多いようです。しかし、この条件では「現場作業が楽になるアイデア」といった金額効果が出ないものはカイゼンとは認められない可能性があり、参加するモチベーションは高まりません。

これは会社にとって良いことなのでしょうか？　現場作業が楽になれば、作業者の負担は軽減し、生産性や品質に良い影響が出ることは間違いありません。こうしたカイゼン参加のモチベーションを下げることは、会社にとって明らかな損失だといえます。こうしたアイデアもカイゼンとして認め、評価し、全社的に共有することが必要なのです。そのための方法の1つが、各社で実行したチョコ案です。

その代わりカイゼンの実行については「なるべくやるように」といったものではなく「全員が毎月に最低1件以上必ずカイゼンを実行する」という命令に近い形にしています。ちょっと厳しそうですが、カイゼンする内容はマネでも修理でもいい

ので、誰でも簡単に実行できるのです。

この仕組みを導入すると、それまで放置されていた現場の問題がどんどんカイゼンされていくようになります。その多くは誰かのマネや小さな工夫ですが、継続すれば、確実に会社の品質や生産性に反映されていくのです。現場の従業員たちがそのことを実感すれば、さらにカイゼンの意欲は高まるでしょう。そして、いつしか、従業員は変化し続けることに違和感を持たないようになります。

現場を変革させ続けることが日常になるのです。

〈共通点5〉 カイゼンの発表会をしている

カイゼン発表会は、現場で実行されたカイゼンから良いカイゼンを選び、社長も含めた場で定期的に発表してもらうものです。

発表されたカイゼンは全員に共有されるのと同時に、横展開で広げるべきか、現場でさらに深めるべきかの指示を、トップがその場で下します。その指示を受け、現場に戻った参加者はさらにカイゼンをおこない、次の発表に備えるということを繰り返します。

カイゼン会で発表される内容は幅広く選ばれますが、継続すると徐々にその中身が変わっていきます。

最初は、現場の困りごとや環境整備にまつわるカイゼンが大半です。そうしたカイゼンもきちんと評価し、共有することで、現場のカイゼン実行力は高まっていきます。徐々に現場全体に「いい加減さを認めない」というプロ気質が生まれ、カイゼンもレベルアップしていくのです。

すると、参加者から発明・発見のような多くの人に知ってもらいたいカイゼン、治具のように増やしてもらいたいカイゼンといった幅広いものが発表されるようになります。とはいえ、整理整頓のようなカイゼンは常に基本となるものですから、どれだけレベルが上がっても重視するべきでしょう。

つまりカイゼン発表会は「みんなで一緒に会社を変えていく」という状態をつくるものだといえます。欧米流の指示命令による仕事とはまったく違う、日本的な助け合いの気風が推進力となる協働型の仕事のやり方になるのです。

カイゼン発表会は社員を育てるチャンスでもあります。

社長を含めた大勢を前に話をするので、発表者はそれなりの準備をすることになるからです。カイゼン前とカイゼン後の写真に加え、普段の業務では言語化せずに済ませている作業や問題を、経営陣や他の部門の人たちに、いかにわかりやすく伝えるかを真剣に考えることになります。これは社員を育て、人として進歩させることでもあるのです。

〈共通点6〉 カイゼンを促進し実務に展開させるファシリテーターが存在する

ファシリテーション（facilitation）とは、会議などで発言や参加を促したり、話の流れを整理することです。これを担当する人がファシリテーターで、基本的に自分の意見をいったり、意思決定に関与することはありません。

発表会で横展開できるカイゼンがあれば、その対象部門を特定し、マネをするように指示することが必要です。タイムリーな指示があれば、その場で元ネタのカイゼン実行者に詳しい話を聞いたり、設計図のコピーを現場に持ち帰ることができます。この流れがスムーズにできれば、次回のカイゼン会までには全工場で横展開され、結果が報告され、その成果を確認することができるでしょう。

しかし、こうした情報の整理や指示がないと、横展開に時間がかかったり、できることに気づかなかった現場では何も起きないといったことになってしまいます。

こうしたことが起こらないようにするのが、ファシリテーターの役割です。会社が向かうべき方向性を理解したうえで、発表されたカイゼンを経営に貢献する方向へと導くために会議に参加します。

また、KZ法や発表会後の工場見学では、参加者はみな現場に入ります。現物を前にすると、会議室の議論とはまったく違う、熱を帯びたワイワイガヤガヤが起こるものです。どの意見も重要で、具体的な現場の声ですが、成り行き任せにするのは得策ではありません。

ファシリテーターは、この貴重なやりとりを経営に生かし、全体最適なカイゼンへと進むように、情報の交通整理をします。具体的には、問題に直接関連のある人たちを中心に意見をいってもらうようにして、相乗効果を生み出せるようにリードするわけです。ご紹介した5社の事例では、わたしがその役割を担いました。

〈共通点7〉 経営改革のタネとなるカイゼンはすべて社内から生まれている

5社の事例にはそれぞれ大きな経営成果が生まれています。

注目していただきたいのは、そのすべてが社内から生み出されたモノばかりだという点です。外部から購入したり、導入したり、誰かの助けを借りたからできたのではありません。いそのボデーの新人女性社員の何気ない発言、パーツ精工の気配りカイゼンなど、いずれのケースでも、自分たちの現場カイゼン活動から生み出されたモノが、会社の経営を変革し、大きな成果を出しているのです。

中小製造業の経営者のなかには「大きな変革をするためには、多くの専門知識や莫大な資金が必要だ」と思い込んでしまい、自分たちには到底できないことだと最初からあきらめていらっしゃる方が少なからず見受けられます。

しかし、そんなことは決してありません。

まず、経営者は会社がこれからの時代にどうあるべきかのビジョンを考え、社内で共有したうえで、自分たちにできるカイゼンから始めてください。そして、そのカイゼンを共有し、全体最適に生かす方法を議論しながら実行し、一歩一歩前進していけば、必ず答えは見つかります。

ご紹介した5社も、最初から向かうべき方向がわかっていたわけではありません。むしろその逆で、答えの見えない暗闇のなか、自分たちにできる現場のカイゼンを1つずつコツコツ実行し続けた結果なのです。その積み重ねの過程で必要なモノが少しずつ見えるようになり、今度はそちらに集中します。すると、さらに進むべき方向が明確になり、カイゼンのレベルがぐんぐん上がったのです。

ポイントの1つは、自発的なカイゼンを促すことです。

上からの指示によるカイゼンは、担当者の理解が十分でなかったり、失敗を恐れた無難な対応になったりすることが少なくなく、中途半端な結果になりがちです。

カイゼンするテーマは各人が自分で決めていいと任せると、自由な発想でのさまざまなカイゼンが生まれやすくなります。そうしたアイデアがカイゼン発表会で評価されれば、現場の人たちはさらに前向きに自分なりのカイゼンを考えるようになるでしょう。

これは、社員全員が、自分に求められているカイゼンの要素を見つけようとしているということです。こうした会社に成果が出せないわけはありません。

〈共通点8〉「すぐやる」ことができている

事例として挙げた5社は、すべて「その場ですぐ実行する」会社です。

パーツ精工とA製菓のカイゼン発表会では、良いカイゼンは他工場でも実行するよう出席した工場代表者にその場で指示が出ます。その結果は、次回のカイゼン発表会で報告されるという早さです。大塚産業マテリアルと天昇電気では、カイゼン発表会後に、毎回社長と役員参加でKZ法を実行しています。いそのボデーでは、新人の女性が何気なく発したアイデアを即座に試作し、FUVというサービス分野に進出するカギとなった新商品をあっという間につくってしまいました。

わたしは「カイゼンとは?」という質問をされたときは「すぐやること」と答えています。少し補足すれば「その場でできることはすぐにやってしまう」という意味です。

有望なアイデアがあったとしても、もし「すぐやる」ができなければ、改めて次の会議が開かれ「誰が、いつ、どうやってやるか」を話し合うことになるでしょう。実行されるのは「すぐやる」に比べ、かなり遅れることになります。

それどころか、実際には、人選びや部門間の調整に難航してさらに時間がかかるケースや、当初よりも小規模になる、最悪の場合はどんどん後回しになり、結局実行できずに終わる、ということも少なくないのではないでしょうか。

しかしカイゼン発表会など、必要な人たちが集まる場があって、「すぐやる」ことのできる会社であれば、こうした停滞は起こりません。

もちろん「すぐやる」ことで失敗することもあるでしょう。しかし失敗は試行錯誤の結果であり、次に何をするべきかの優先順位を決める根拠になります。「すぐやる」結果の失敗は、前進なのです。実際、これだけで会議2回分くらいの節約にもなっています。

経営において、「すぐやる」より速い方法はありません。

第3章

ユーザーイン時代のカイゼン
「KZ法」「チョコ案」

カリフォルニアで気づいた日本のカイゼンのすごさ

世界のトップIT企業のオフィスを見学

2015年11月、わたしはカリフォルニアにあるGoogleとEvernoteを見学する機会を得ました。みなさんご存知のように、この2社は世界に数あるIT企業のなかでもトップを走る存在です。事前にイメージしていたのは、有名大学で博士号を取得した優秀な人たちが研究室にこもってそれぞれの研究に没頭する様子でした。

しかし、実際はまるで違いました。オフィス内に個人の研究室は見当たらず、パーテーションもありません。広い空間に普通の四角の机が並んで配置されている、まるで昔の日本の事務所のようだったのです。

ただ、違いもありました。机を前に座っている人は少なく、多くの人があちらこちらで立ち話をしているのです。そして、廊下を含めたあらゆる壁がすべてホワイトボードになっており、大量のメモが記されていたことも印象に残りました。

Evernote社の見学中、通路で2人の女性と1人の男性が話し合っているのに遭遇しました。会話の内容に興味がわいて話しかけると、女性の1人は副社長、もう1人はマーケッターで、男性は技術者だといいます。

日本でこのような部門をまたがる話し合いをする場合、多くは上司の許可が必要です。彼らにも「上を通してくれますか？」という堅苦しいプロセスはあるのかが気になり、聞いてみました。

すると、3人はわたしの質問がまったく理解できないという表情を浮かべました。発音が悪いせいではなく、意味がまるで理解できない様子です。わたしが、日本では部門を越えたやりとりには準備が必要なことが多い……と説明をしたところ、彼らは笑いながら、

「今、そんなことをしていたら、時代の変化のスピードにマッチしないでしょう」

と答えてくれました。

続けてわたしは「みなさんが自分の研究室に閉じこもって研究をしているのではないかと思っていたのですが、そうではないようですね」と少し冗談めかして話してみました。すると、相手の顔から笑みが消え、真剣な反論が返ってきたのです。

「わたしたちは商品を開発するだけではダメで、それをどう売って、どう利益を得るかと

いうところにまで責任を持っています。だから1人では絶対にできません」

こんな趣旨でした。

彼らは、ニーズを探り、マーケットを開拓し（創る）、商品を生産し（作る）、販売する（売る）という一連の過程すべてに責任を持つチームなのだ、というわけです。

世界最先端企業と日本の製造業の共通点

世界の最先端企業の仕事のやり方を見て驚いたことが2つありました。

1つ目の驚きは、仕事の速度感です。彼らはどんどん変化するマーケットのスピードを認識し、その速度に合わせた仕事をしていました。これは驚きではありましたが、ある意味では想像した通りともいえます。

2つ目の驚きは、会社内の「創る↓作る↓売る」に関係するすべての人が1ヶ所に集まって即断、即決して動いている姿です。1つの部門だけで集まるのではなく、大きな会議室で誰か1人が話すのを聞くのでもなく、関連する人全員がホワイトボードの前に立ち、それぞれがマーカーをつかってどんどん議題をつくり込み、実行していました。これもまた、仕事のスピードを追求するためなのでしょう。

しかも、わたしがたまたま出会った3人には副社長も含まれていました。経営陣が、現場で、従業員と同じ目線で議論し、臨機応変に意思決定も下していたのです。すぐ横には、明らかに外部の人間である日本人のわたしがいます。しかし、彼らはそんなことはほとんど気にせず、話を進めていました。案内役の方にあとで聞いたのですが、じつは、このとき、かなり大きな決断が下されていたのだそうです。にわかには信じられない思いでした。しかし、もしそれが事実なら、まさに即断即決であり、それ以上のスピードはないでしょう。

壁一面がホワイトボードという空間で、人々が侃々諤々《かんかんがくがく》の議論を交わし、瞬時に大きな経営判断がなされていく現場に、わたしは正直、圧倒されました。

しかし、帰国後その感想は変わります。

アメリカでは圧倒されただけでしたが、改めて考えると「**関わりのある人が集まって全体を考え、ベストの答えを即座に出す**」というやり方は、むしろ日本の製造業が得意としてきたことではないかと思い始めたのです。

それ以来、この考えはますます強まっています。

彼らの仕事のやり方はアメリカ流ではなく、むしろ日本的な経営ではないでしょうか。


日本の製造業が世界をリードし始めた時代、ソニー創業者の井深大さんや盛田昭夫さん、ホンダ創業者の本田宗一郎さんといった方々は、みな作業服を着て現場にいました。現物を前にして、現場の作業者とまったく同じ目線で「**どうしたらこの製品をもっとお客様に喜んでもらえるようにできるだろうか**」と超具体的な会話を頻繁にしていたのです。

現在のIT企業とはもちろん形は違います。しかし、顧客のことを考え、すべての関わりある人々が集まることで発揮される強い現場力と経営力という意味では同じです。

このころの日本の製造業の現場で交わされていた議論は、現在のEvernote社と同じか、それ以上のレベルだったのではないでしょうか。それどころか、この2社が今、世界の最先端を走っているのは、かつて同じところを走っていた日本の製造業と同じやり方をしているからだ、とさえわたしは考え始めています。


いずれにしても、この見学を通じて確信したのは、わたしが日本の現場で実施してきたカイゼン4・0は、Google と Evernote の仕事のやり方と相通じるものだということでした。

変化の速度を上げ続ける現代において世界のトップを走る企業と、日本の製造業がかつて持っていた経営力、現場力、人材力の強さは、本質的には同じものです。中小製造業の製造現場を舞台に、その本質的な力をシンプルなカイゼンアプローチで掘り起こし、磨き、もっともっと大きな成果を生み出す方法。それがカイゼン4・0です。

米国カリフォルニアの Evernote 本社で。わたしの隣は妻。

Google 本社にて。横の車は Google ストリートビューカー。

これまでのカイゼンの限界とこれからのカイゼン

ユーザーイン時代への対応

第1章で述べたように、モノづくりを取り巻く環境は、今、マーケットインからユーザーインへと変わろうとしています。マーケットイン時代は、売れるモノはあるものの、品種が多くて、どれが売れるかわからないという問題がありました。

これを解決したのは、トヨタ生産方式のような「売れたモノを補充する」方法です。これにより、在庫を持たなくてもお客様を待たせることがなくなり、日本の製造業は大きな力を持ちました。

しかし、ユーザーインの時代になると、マーケットイン時代の「売れるモノがある」という前提が崩れます。すると、これまで日本の製造業が得意としてきた**「モノを効率的につくり、安く売って、シェアをとる」という戦略は通用しません。**なぜなら、売れることを前提にできない以上、どれをつくるか、いかに上手くつくるかという管理や効率の追求では、成果を出せない時代になったからです。
これからは**「お客様が喜ぶ付加価値のある商品を創造すること」が求められる時代になっていくでしょう。**製造現場でのカイゼンも、このマーケットの変化に呼応して、当然、変わらざるを得ないのです。

マーケットイン時代、カイゼンの中心はムダ取りや5Sでした。

これらは製造現場という枠内の不要なモノをなくし、効率を上げる活動であり、新しいモノやコトを生み出す活動とはいえません。これまではたしかに成果を上げることができましたが、その過去にしがみついて**「もっと頑張る」というだけでは生き残れない時代に入っているのです。**

ユーザーインの時代は、お客様が喜ぶモノを創造することが求められます。これまでの効率を追求するカイゼンの力はあくまでもその前提づくりに過ぎません。これからは、お客様の望むモノを創造し、生み出すカイゼンをすることが求められるのです。

欧米の会社ならば、そのための専門組織に依頼するところかもしれません。しかし、第2章でご紹介した5社の事例にそのような組織は登場しません。いずれのケースでも、会社にいる仲間によるカイゼンだけで、マーケット・お客様の視点に立った創造を成し遂げていました。

5社の事例に含まれるエピソードには、ユーザーインの時代に日本の製造業が採るべき姿勢についてのヒントがあります。**厳しい時代を乗り切るために本当に必要なアイデアは、社外ではなく社内にあるのです。**

社員全員が自社の問題を認識し、危機感を共有すれば、カイゼンへの強い意欲が生まれ、現場にいる全員からアイデアが出てきます。

みなさんの会社でも、必ず、同じことが実現できるはずです。

この章では、そのための具体的な方法をご紹介します。

まず、現在の日本の製造業が抱える問題点について整理しておきましょう。これから始めるカイゼンでは、これらの問題点を解決し克服することが欠かせないからです。

「これからのカイゼンで解決・克服するべき3つの問題点」

1、カイゼンの実行を阻む組織内の壁

会社に勤めていると「どうしてうちは大切なことをやらないのだろう?」とか「うちはなぜ非効率なやり方を改められないのだろう?」と一度は感じたことがあるはずです。これは多くの会社で起こっていることだと思います。

こんなことが起こる原因は、大きく2つあります。

1つは、会社内の壁です。人の集まる組織には必ずといっていいほど、何らかの壁が存在します。形式的な分担による分断・孤立の壁(組織間の壁)や、力関係による従属の壁(上下間の壁)はその代表的なものです。

もう1つは、業務分担が生む無関心です。会社における仕事は分業制が基本のため、多くの人は自分の関わる領域のことしか知りません。そのため、さまざまな部門がそれぞれ最適解だと思って実行することが、部分最適の結果になってしまうのです。

カイゼンを指導するコンサルタントという立場から見ると、この2つは非常に大きな障害です。

たとえば、社長の示す目標に参加者全員が賛成しても、「うちの部署とは関係がない」とか「まずはあの部門を先にするのが筋だろう」といった反応が返ってくれば、具体的なカイゼンを実行することはできません。つまり、総論は賛成だが、各論は反対だという立場に豹変してしまうのです。こうなってしまえば、経営は少しもよくならず、コンサルタントを雇った意味はありません。

カイゼンをスピーディに実行するためには、こうした壁は取り除く必要があります。しかし取り除こうとするのは、かなりの困難を伴う作業です。

2、人財を育てる「学びの場」の縮小

1960～80年代のころと比べ、今のモノづくりの現場では、学びの機会が大幅に減っています。

日本が高度成長の波に乗っていたころ、多くの製造業ではQC（Quality Control 品

質管理）サークルに代表される小集団活動が中小企業を含め、盛んにおこなわれていました。QCは現場で見つかる品質の不具合を、現場の人たちが集まって分析し、カイゼンを実行するというもので、日本製品の品質を向上させ、世界中の信頼を得る原動力にもなったものです。

現物を触りながら、現場の全員でワイワイガヤガヤと率直に交わされるやり取りは、情報の宝庫でした。知らなかったことを耳にし、わからないことを聞くチャンスでもあります。人財を育てるうえで、貴重な学びの場になっていたのは間違いありません。

また、こうした小集団活動は、会社のモノづくりという大きな工程のなかでの自分の役割を確認する場でもありました。自分1人では背負い切れない大きな目標を、みなで助け合って成し遂げるというイメージを具体的に描ければ、モチベーションも高まります。

つまり、こうしたQCサークルのような活動は、品質向上という目的だけでなく、参加する現場の人たちに、モノづくり全般の知識や進め方、コミュニケーションの取り方、会社における居場所など膨大なことを教える教育の場でもあったのです。こうして育った人財が現場力の基礎をつくっていたといってもいいでしょう。

しかし残念なことに、現在、多くの会社がこうした小集団活動の開催頻度を減らしたり、やめたりしています。その理由は、仕事が忙しい、働き方改革で時間がとれない、もしくは、外国人作業者が多く言葉が通じにくい、といったものです。

その結果はどうでしょう。

大切な学びの場が消えたことで、作業者は教えられた作業をただ繰り返すだけになっているのではないでしょうか。モノづくりの原理原則はもちろん、自分の担当する作業にどんな意味があるのかさえ知らないということも多くなっています。これでは、日常業務には支障はなくとも、不測の事態が起きたときの対応やカイゼンには手が出ない状況になってしまうのは間違いありません。

たしかに、カイゼン活動を推進するには、現代ならではの困難があります。

そして、ユーザーインの時代においては、QCサークルのような以前と同じ小集団活動では期待するような成果が出せない可能性も十分にあります。従来のような製造現場中心のサークル活動では、マーケットに目を向けた全体最適の結果が出せないからです。

つまり、これからのカイゼンには、新しい時代に適応しつつ、人財がマーケットへの視点をも学び、育つ環境をつくることが求められているといえます。

3、少子高齢化の進展とICT化という課題

日本では少子高齢化による人口減少がすでに始まっています。15歳から64歳までを生産年齢人口ととらえれば、その減少速度は日本全体よりはるかに速いスピードで進んでいるというのが現状です。総務省統計によると、日本の生産年齢人口は1995年の約5000万人から一貫して増え続け、1995年にピークである約8700万人に達して以後、減少に転じました。推計では2030年には約6800万人にまで減少します。

わたしたちはこの事実を厳粛に受け止めなくてはいけません。具体的には労働生産性を、労働人口の減少を上回るスピードで向上することが求められています。

近年、急速に広がっているICT（Information and Communication Technology 情報通信技術）の活用は、その実現のためです。ICTといえば、ドイツの製造業革新プロジェクト〝インダストリー4・0〟という言葉を聞いたことがある方も多いでしょう。このジャンルで日本は1周も2周も遅れているといった報道も数多くされてい

ます。とはいえ、導入には高額な出費が必要と聞いて、とても無理だと思われた方もいらっしゃるかもしれません。

トップダウン型経営の多い欧米では、あらゆる情報を取り込める巨大なシステムとしての〝インダストリー4・0〟の情報が経営者向けに売り込まれています。これは非常に高額です。

巨大なシステムではなく「現場作業がしやすくなり、品質を向上させ、お客様に喜ばれるようになるのに必要なモノは何だろう」という視点で自社をカイゼンするなかで、優先順位をつけ、ICTを活用したカイゼンを実現すれば、ずっと安価に導入することができます。これは、経営者を含めた現場カイゼン活動をしている日本の会社だからこそできるICT活用だといえます。

たとえば、わたしの指導先のある会社では、ICTによって工場の設備稼働率の常時表示を実現しました。具体的には、各設備に設置されたパトライトの青ランプ（点灯は稼働中）に光を感知するセンサー（数百円）を巻きつけ、ラズベリーパイというコンピュータ（数千円）につなぎ、その情報を統合して1つの画面で表示するように

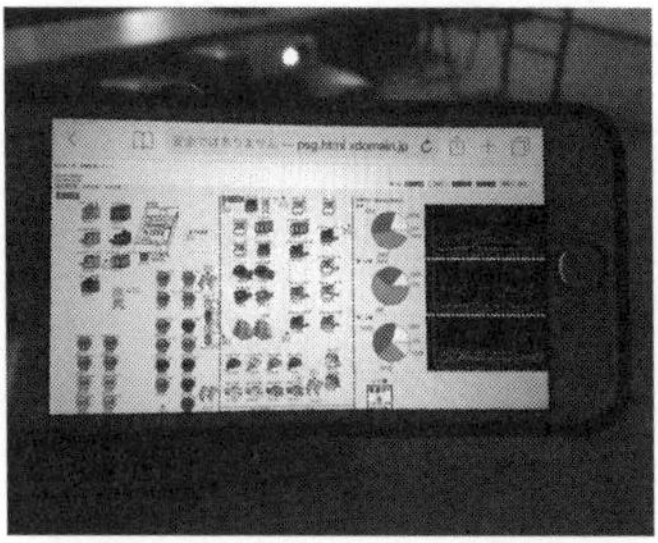

工場内の稼働状況がスマホで確認できる。

パトランプに巻きつけられた光センサー。

したのです。この情報は、工場長や監督者のスマートフォンでも常時確認することができます。

この設備は全部で10台以上ありますが、かかった費用はすべて合わせて10万円以下とのことでした。

このように、かつては高額の投資と詳しい専門家がいないと手が出せなかった情報機器の多くが、最近ではずいぶん安く、扱いやすくなってきています。ICTについて勉強し、自社の現場に必要なところから順番に設置して、情報の見える化を推し進めるのは、中小企業にとっても決して難しいことではありません。

優先順位にしたがってコツコツとICTカイゼンを進めていたら、いつの間にか会社全体でつかえる〝インダストリー4・0〟の仕組みが完成していたということも、本当に起こりえるのです。

ユーザーイン時代に立ち向かう「カイゼン4・0」の方法

わたしは、これからの日本の中小製造業は、組織の壁を取り去り、現場・現物に基づいた勉強をし、カイゼンの質と量を高め、全員で本音のコミュニケーションを実行するべきだと提案しました。これは正論ですから、おそらく多くの方が賛同してくださることと思います。

しかし考え方がいくら正しくても、具体化に実行できず、目標が実現されなければ意味がありません。

その方法である、柿内式カイゼン「カイゼン4・0」について解説しましょう。

全社でカイゼンを実行する場合、カイゼン4・0では最初にKZ法を実施します。社長を筆頭に、すべての部署の人に現場に集まってもらうのが原則です。

所要時間は全部で3時間ほどですが、その効果は非常に大きなものだといえるでしょう。

KZ法の場では、これまでできなかった議論が起こり、会社内に存在していた真の問題が明確になります。そして「これから一緒にカイゼンを進め、会社を変えていこう」という心構えを共有できるのです。

なぜそんなことが起こるのでしょうか。

それは**KZ法が、組織内の壁を取り除き、全体最適を実現する方法だからです。**

会社の仕事は、通常、分業で進められます。一般的な経営のサイクルは、開発部門が商品を考え、設計部門が図面を描き、技術部門が工程をつくり、営業部門が注文をとり、調達部門が材料を仕入れ、製造部門が生産し、物流部門が配達し、最後に代金回収されるというものです。やはり部門ごとに役割を分担するのが当然でしょう。

しかし、仕事を全体最適にカイゼンしようとすると、この仕組みが悪さをします。大半の社員が自分が直接携わる仕事と、属する部署のことしか知らないため、会社全体の問題の解決（＝全体最適）が見つけられず、やる気はあっても部分最適の発想になってしまうのです。

この「組織内の壁」を壊す方法は、通常の会社の活動のなかにはありません。将来ビジョンをいくら強く宣言しても「やらされ感」が高まるだけでしょう。

しかし、これからご説明するKZ法を実行すれば、簡単にこの壁を壊すことができます。KZ法は組織、上下関係の壁を取り払い、会社の真の問題点をあぶり出し全体最適のテーマを生み出す方法でもあるのです。

カイゼン4・0では、このKZ法で見つけた全社的な問題点を、パートさんや外国人作業者も含めた全員でカイゼンしていきます。そこでつかうのがチョコ案という方法です。チョコ案はまさに「全員」でのカイゼンを実現し、社内に眠っていた隠れた能力を発掘する方法です。そして全員に、会社における自分の居場所をつくってくれます。

KZ法とは

KZ法の誕生まで

KZ法の正式名称は「**現場・現物と全社的カイゼンを結びつける経営者参加型改善技法**」といいます。

この方法が生まれたルーツはわたしの前職にあります。

わたしが大学卒業後、日産自動車に勤務していたことは本書の冒頭で述べた通りです。会社にはさまざまなコンサルタントの方が指導に来てくださいました。日産が国内シェアを落とし続けていた時期で、変革が求められていたからです。しかし、そうしたコンサルティングが必ず成果につながるとは限りません。わたしは、上手くいかない原因の1つは、欠点を指摘してから直させるというアプローチにあるのではと思っていました。というのは、自分の不備を指摘された幹部の方々が発奮するのではなく、逆にコンサルタントの調査不足を指摘しているのを耳にしたからです。

わたしは、まず日産の良いところをほめ、そのうえで変えるべき点を一緒に考え、実行するというスタンスを取ればいいのにな、と思ったものです。なぜやらないのだろう、と不思議にすら感じていました。

その後、あるきっかけでコンサルタントになりたいと思ったわたしは1991年12月に日産自動車を円満退職し、モノづくりのカイゼンをおこなうコンサルタントになります。

わたしがコンサルティングを引き受けるときは、指導日には必ず社長に同行していただくようお願いしています。しかし、当時はそれができず、作業服に着替えて社長に挨拶をしてから、1人で現場に入って、作業者の方々にカイゼン指導をしていました。指導が終了する夕方にまた社長のところにいき、その日のカイゼンを報告する、というやり方です。

もちろん前職時の思いがありますから、自分こそは現場の人たちをほめてから一緒にカイゼンをする、経営に役に立つコンサルタントになるはずでした。しかし偉そうな批判をしていた自分も、実際には「品質が悪いので、QCサークル活動をもっとするべきです」「散らかっているので5Sの回数を増やしましょう」といった調子で、現場の方々を批判し一方的に指導をするやり方になっていたのです。

結果、現場の方々の自発的なやる気は引き出せず、自分が描いていた「経営に貢献する現場カイゼン」からはまるでほど遠い状況でした。


そんなあるとき、とてつもなくラッキーなことが起こりました。

工場カイゼンの依頼を受けた、ある機械加工会社に出向いたときのことです。現場の工場は目を疑うほど汚く、散らかっていました。あまりの汚さに驚いたわたしの口から出たのは、いつものような偉そうな指導ではなく**「まずはみんなで片づけと掃除をしましょう」**という提案でした。そして率先垂範が大切だとばかりに、作業服を誰より汚しながら、自分からモノを運び、機械を拭いたのです。

そうして一生懸命作業をしていたとき、周囲で掃除をする作業者の方々が何気なく交わす会話が、耳に飛び込んできました。

作業開始からしばらくは**「これはこう置いたらつかいやすいよね」**とか**「機械がきれいになると不具合個所が見えるから故障も減るね」**といった前向きなカイゼンの話が多かったと思います。さらに作業の終わりごろには**「今日だけで終わったらもったいないね」「定期的に続けて工場全体をきれいにしたら、もっと能率が上がるだろうね」**というような素晴らしい会話が聞かれたのです。

これこそ、わたしが本当にやりたかったカイゼンだ！

わたしは大発見をした気になりました。

しかし喜んだのは一瞬で、すぐに冷や汗が出始めます。

なぜなら、今日の結果を社長にどう報告すべきかわからなかったからです。正直に「一日中、工場の掃除をしていました」と伝えたら、コンサルティング契約を打ち切られるかもしれません。ドキドキしたものの、社長には結局、正直にそのままを報告しましたが、ありがたいことにクビにはならずに済みました。

この出来事は、わたしに2つのアイデアをもたらします。

1つは、この日のような整理・整頓活動に、社長や他部署の人たちを参加させたらどうだろうというものです。作業者の方々とわたしが一緒にやっただけでいくつものアイデアが生まれ、モチベーションも上がったのですから、経営者が参加すればその効果はより高まるでしょう。それだけでなく社長がいれば、誰かのアイデアをその場ですぐ実行に移すことも可能になります。

もう1つは、時間をもっと短縮したいというものです。いくら良い成果が出るとしても、丸一日は長すぎます。実際の製造現場をつかい、社長や各部門トップも参加するのですから、せいぜい3時間くらいで終えるべきだと考えました。

そうして、このアイデアを実行する具体的な方法を考え始めました。参考にしたものの1つは、5Sの実践法として広まっていた**赤札作戦**です。現場の不要なモノに赤い札を貼る手法ですが、そのままではつかえません。どうすれば短時間で成果を出せるようにできるか考え続けていたとき、自動車整備機器関連会社Y社からカイゼン指導依頼が来たのです。

わたしは、初めてお目にかかるY社長に、そのとき考えていたアイデアを説明してみました。そして「社長にも参加していただいたうえで実行したいのです」とおたずねしたところ、快諾していただけたのです。

当時のY社では、生産管理が上手く機能していませんでした。作業員は、仕掛在庫や余剰部品のあふれる工場内で作業をしている状態で、経営にも悪影響が出始めていたのです。最初のカイゼンは、社長を含めた課長以上のすべての幹部、そして製造現場から呼ばれた人たちが参加し、実行されました。現場に入り、1ヶ月以内につかわないモノにカードを貼るところから始め、移動させた不要品を前に「なぜこうなってしまったのか」「どうしたら再発を防げるか」という議論をします。

すると、ごく自然に、参加者の方々から次々と前向きな意見が出たのです。その流れのまま、幹部全員参加のカイゼン方針があっという間に決まりました。そして、短期間のうちに在庫は減り、生産遅れも解消されたのです。その成果とスピードは、発案したわたし自身も驚くほどでした。

Y社のカイゼンはさらに続き、多額のキャッシュフローを生み出しました。現場の生産性が向上したことを生かし、それまでロット単位で納めていた商品を、販売会社の欲しい単位でお納めしてはどうか、というアイデアが出たのです。最初のカイゼンに参加していた経理部長の発案でした。もちろんその代わりに手形サイトを半分にしてもらうといった条件を提示します。このカイゼンはY社に多額のキャッシュを生み出しました。

　すなわち、Y社の現場カイゼンは、生産部門に留まらず、設計部門、調達部門はもちろんのこと、経理部門にまで波及したのです。

　最初のカイゼンから約1年でY社は経営改革を成し遂げ、大きく変貌しました。

　そしてY社長は、こうおっしゃってくださったのです。

「今回のカイゼンの目玉は、初日のカードを貼った活動だったと思う。あれは本当に良かった。あれがきっかけで、うちの会社は大幅に変わることができたからね。あの方法は柿内さんが考えたの？」

　これが始まりで、わたしはそれ以降、このやり方をさまざまな指導先で活用するようになります。そしてカイゼンを重ね、現在のKZ法にたどり着いたのでした。

　その後、折々でお世話になっていた慶應義塾大学理工学部管理工学科の中村善太郎教授（現名誉教授）に、このカイゼンのアプローチをお話しする機会があり、興味を持っていただきました。それまでわたしは、結果の出やすいカイゼンのアプローチ方法という認識だったのですが、先生は「結果が出る背景には、深い事実があるはずです。学問的にも究めるべきテーマだと思います」とおっしゃってくださったのです。その言葉に背中を押され、先生のもとで研究をおこなうことを決めました。ＫＺ法という名称はその研究過程で決まったものです。そして２００６年３月に慶應義塾大学から工学博士号を授与していただきました。本書には、このときの研究成果を盛り込んでいます。

ＫＺ法の概要と基本手順

ＫＺ法（現場・現物と全社的カイゼンを結びつける経営者参加型改善技法）の概要について、改めて解説しておきましょう。

見た目の印象は、工場の現場でよくおこなわれる５Ｓ（整理整頓活動）と同じかもしれません。しかし、社長以下の経営陣や、製造部門以外の営業や設計、技術の担当者も入るオールスターキャストで実行される点が大きく異なります。

これだけのメンバーを一堂に集めるのは大変だと思われるかもしれませんが、ＫＺ法の所要時間は約３時間です。このくらいであれば、忙しい社長も営業も設計も何とか都合をつけられるのではないでしょうか。その効果が実感できれば、なおさら問題はなくなっていくはずです。

〈手順1〉すぐつかわないモノにカードを貼る

参加者に工場でもっとも問題がある場所に集合してもらい、全員に1人あたり30枚ほどのカードを配ります。そして、その場所にあるモノで1ヶ月以内につかわないモノ、つかい切れないモノ、あるいは問題があると考えられるモノに、全員でカードを貼っていきます。

このときの指示は「厳しい時期なので、なるべくたくさん貼ってください」ではなく「**全員、1枚残らずすべてのカードを貼ってください**」といった表現が良いでしょう。

なお、1つのモノに対してカードを貼れるのは、先着1名限定です。そのため30枚すべてを貼り切るためには、現場の隅から隅を見まわし、問題点を探すことになります。参加者は工具箱を開けたり、棚のファイルを読んだり、放置された段ボール箱を覗いたりしながら、カードを貼ることになるのです。

社長や他部署の偉い人がいることで緊張した雰囲気になってしまうこともありますが、K

Z法はできる限りリラックスしてのびのびと実行をしていただくほうが良い結果が出ます。参加しているみなさんの力が抜けるように工夫してください。

わたしの場合は「よくある質問に『1ヶ月以内につかわないので工場長の背中に貼ってもいいですか？』というのがありますが、人に貼るのは禁止です」とか「カードが1枚でも手元に残る方がいたら、連帯責任で全員帰れなくなりますから頑張りましょう！」といった冗談めかした声をかけています。

第2章でご紹介した天昇電気では、社長が先頭に立ち、ムードメーカーになってくださいました。大きな声で「こんなモノがまだあるんだ。いらないよな、カード貼るよ！」といいながら、みなが驚くようなモノにまでバンバン貼り、30枚をダントツに早く貼り終えたのです。その様子に全員が刺激され、安心してカードを貼れるようになりました。これが、その後の画期的な場所開拓の一歩になったのです。

A製菓で実施したKZ法では、協力メーカーの社長のみなさんにもカードを貼っていただきました。やはり親会社の工場ですから、遠慮はあったはずです。もし「なるべくたくさん貼ってください」と指示したら、ほとんど貼れなかったことでしょう。しかし「全員が1枚残らず貼る」というルールですから、そうはいっていられません。みなさん一緒になって現場を探し回り、問題があると考えたモノにすべてのカードを貼ってくださったのです。

カードを貼り続けていると、迷う場面が生まれます。

正確に貼ろうとすれば、その現場の作業者に「これはどうですか？」と聞きたくなるでしょう。しかし、それは禁止です。誰かに聞いたり、調べたりはせず、自分の直感でペタペタ貼っていただきます。間違っても、あとで剥がせばいいので、問題はありません。

なぜなら、**KZ法は、ブレインストーミングの一種**だからです。

KZ法カード貼りの様子。棚がカードだらけに。

ブレインストーミング（ブレスト）のポイントは、アイデアに正確性は求めず、とにかく数をたくさん出してもらうことです。KZ法のカード貼りは、言葉の代わりにカードをつかうブレインストーミングだと思えばいいでしょう。

ブレストですから、たとえ貼った理由が間違っていても、あとで他の人から別の不要な理由を指摘されるかもしれません。また、その勘違いが新しい問題提起につながる可能性もあります。

ですから、大切なのは、間違いを心配せず、どんどん貼っていただくことです。

慣れないうちは、人によって貼るスピードにバラツキが出るものです。慎重なタイプの方はなかなか貼れないということもありますが、その場合は、早く貼り終わった人が助けてあげてください。

全員が配られたすべてのカードを貼り終えるまでの目安は約30分です。終わったら、次の手順に移ります。

〈手順2〉カードを貼られたモノを運び出して分類する

続いて、カードの貼られたモノをすべて外に運び出し、3つに分けて置きます。分類は**「不要」「不急」「必要だが問題あり」**です。「不要」は本当にいらないモノ、「不急」は1ヶ月以内にはつかわないが、いずれつかうモノ、「必要だが問題あり」は文字通りの意味だと思えばいいでしょう。

この分類作業は、カード貼りよりも難しく感じるかもしれません。とくに「不要」か「不急」かの判断は迷うものでしょう。

しかし、この分類作業においても、その現場の作業担当者に聞くのは禁止です。なぜなら、返ってくるのはだいたい同じ答えだからです。

「わたしはつかっていないので不要に感じますが、誰か必要な人がいるかもしれないので、あとで調べます。今日のところは『不急』に置いてください」

会社内にある、不要なのにいつまでも動かせないモノの大半の原因は、この言葉にあります。じつは、社内の全員が「**自分には必要ないが、きっと誰かが必要としているのだろう**」と思っているのです。その結果、現場はどんどん狭くなります。

ですから「不要」か「不急」かがわからない場合は、厳しいほう、すなわち「不要」に分類してもらうよう指示してください。

「『不要』に置いても、そのまま黙って捨てるわけではありません。その前にちゃんと話し合います」

と説明し、安心してテキパキと運んでいただきます。

カードを貼られたモノを運び出し3つに分類。

不要なモノが取り除かれた現場が本来の姿。

この作業も30分もあれば終わります。

数百点のモノを外に出すので、これまで狭かった職場はすっきりとした空き地になるはずです。このガラガラの空き地状態を参加者全員にしっかり見ていただきます。これが「**今つかうモノ**」だけが置かれた、あるべき現場の姿なのです。

KZ法のことを話すと「カードの貼られたモノをいちいち運んだりせず、デジカメで撮影してデータを分類すればもっと早く済むのでは？」と聞かれることがありますが、そのやり方ではこの光景を共有することはできません。

この広い空間を見て、いちばん喜ぶのは経営者です。

お客様を増やしたり、新商品を開発したりするためには面積が必要です。多くの中小企業の社長は「場所がないから無理だろう」とあきらめています。じつは、こんなに広い場所があったとわかるのですから、当然でしょう。

しかし、現場の人たちは経営者ほどの感激はしません。

なぜなら、似たような光景は、これまでの整理整頓活動でも目にしていることが多いからです。しかしそれは一時的なもので、次の日にはさっそく誰かがモノを置き、少し経てばすっかり元に戻ってしまっていたと思われます。

ですから「今回もいずれ元に戻ってしまうだろうな」と思っている人が少なくないのです。しかしKZ法は、これまでの整理整頓とは違います。

〈手順3〉不要品を前にして、全員で問題を議論する

次の手順は、問題の提起と議論です。

ここから、従来の整理整頓とKZ法との違いがはっきり出ます。

現場にあふれる不要なモノの多くは、現場の作業者が「いらない」と思っても、勝手には捨てられなかったモノたちです。今回はそうしたモノを捨てる判断のできる人（経営者）と、そのモノをつくったり、購入した人（他部署の偉い人）が現場にいます。ここが大きな違いです。

生産現場の混乱は、設計の悪さ、過剰すぎるまとめ買い、不良品の処理判断の遅さといった他の部署がおこなった仕事の結果でもあります。

カードの貼られた不要なモノの山は、そうした間違いを、具体的に目に見える形に顕在化させたものだといえるでしょう。

このような事態を招いた犯人（?）たちが、問題点を自覚し、根本的なカイゼンを実行すれば、ギャップは解消され、あるべき姿の現場が実現するはずです。

では、どうすればいいのでしょうか。

この時点で、現場にいるわたしたちの目の前にあるのは、2つの具体的な現象です。

［1］不要なモノが取り除かれた現場　＝　あるべき姿（擬似的な理想の姿）

［2］外に出された不要なモノの集まり　＝　全員で解決するべき問題

さきほど［1］を全員で見ました。これがあるべき姿です。

そのうえで解決するべき［2］を見てもらい、3つの分類のうち「不要」に分類されたモノの前に集まっていただきます。

そしてこう宣言します。

「先ほど『黙って捨てたりはしない』といいましたが、やはり捨てることにしましょう」

すると、クレームが出るものです。「絶対に捨てられたら困るモノがある」という意見には、要望に従って戻します。しかしそれはたいてい数点程度に過ぎず、それ以外の大半にはクレームがつきません。じつは誰も必要としていない本当の意味での「不要品」が想像以上にたくさんあったことがわかるのです。

これらは最終的には捨てることになります。しかし、その前にやるべきことがあります。再発を防止するための議論を、社長を筆頭に全員でおこなうのです。

KZ法の場には、複数の部門、職位の人たちが集まっています。こうした状況で話し合いをすると、再発防止から始まった議論が徐々に、問題が起きた根源的な原因にまで自然と深まっていきます。

・これは何だろう、どうしてここにあるのだろう?
・どうして捨てる結果になったのだろう?
・どうすればこうならないように解決できるだろう?

こうしたやりとりが、やがて、設計変更や購買ロットサイズの縮小といった、各部門の具体的なアイデアへと発展します。現場だけではとても実現できないような大きなカイゼンが、ここでは社長の指示の下に実行することが可能なのです。

ＫＺ法で議論が深まり、具体的なカイゼンが実行しやすくなるのは、変更するべきモノ（＝解決するべき問題）が、現実に目の前にあるからです。

一般論や平均値では前に進めなくとも、目の前にある具体的なモノをカイゼンしようということなら取り組みやすくなります。しかもＫＺ法では関わりのある人たちがその場にいますから、普段の分業ではできないこともできるのです。

第2章の5社の事例でも、最初のＫＺ法実施時にそれまで手つかずだった全社的な問題点が浮かび上がりましたが、全体最適なカイゼンにより、すべて短期間のうちに解決されています。

この議論に備え、ＫＺ法実施前には必ず社長にあるお願いをします。

それは、**決して怒らないこと**です。ＫＺ法を実行すると必ず大きな問題が顕在化します。それに対して社長が怒りを見せると、社員は委縮してしまい次のステップに進めなくなるのです。そうならないよう、前向きに「これから変えていこう！」と宣言してくださいとお願いしています。

もちろん1回のKZ法で社内の問題すべてが顕在化するわけではありません。
しかし、このとき見つかった問題を、たとえ1つでも部門の壁を越えたカイゼンで解決することができれば、「次は何を改革しようか」という全体最適の作業が始まるはずです。
また、このとき議論の対象になったモノについては、参加者全員が多くの知識や意見を共有し、全体像を把握しています。この経験もまた、今後の全体最適のカイゼンを生むタネになるのです。

最後は、「不要」に分類されたモノを捨てる作業です。

その量がトラック何台分にのぼることも少なくありません。ついさっきまで職場にあったモノのなかにこれほどの不要品があったということを実感し、全員で共有することができます。

KZ法が生み出すもうひとつの効果は、この**一連の手順を全員一緒におこなうことで生まれる仲間意識**です。これはモチベーションを高め、部門間の壁を取り払うことにもつながります。
これも全社的なカイゼンの第一歩なのです。

不要品がトラック数台分になることもある。

KZ法が持つ6つの原則

以上が、KZ法の概要と手順、そのおもな成果です。

これまでの説明で、これが決して突飛な方法ではなく、むしろごく普通のカイゼンアプローチだと思われた方も多いのではないでしょうか。

たしかにその通りです。なぜ、これほど普通のやり方で、多くの会社で大きな成果が出るのか。実施しているわたし自身も長い間、不思議だったのです。

しかし、その後の実践と博士論文の研究を通し、わかってきたことがあります。それを簡潔にまとめたのが、**KZ法が成果を生み出すための6つの原則**です。

「KZ法が持つ6つの原則」

1　真の問題は現場に存在する

会社が解決するべき真の問題はすべて現場に存在しています。しかし簡単には見えない形になっているのが特徴です。これを全員の目で見てあぶり出し、一気にカイゼンするのが全社改革の近道だといえます。

5社の事例いずれにおいても、問題の存在や解決の方向はKZ法を実行する前まで、明確にはわかっていませんでした。KZ法では、全員が同時に自分の目で現場を見るので、一緒に協力し合うカイゼンが始まるのです。

2　経営トップの強力なリーダーシップのもと全員参加で実行する

経営トップの強力なリーダーシップが、経営成果に至る全員参加のカイゼン活動をうながします。ただ、求められるのは、戦略立案レベルでのリーダーシップのみでなく、実際に現場現物を前にして一緒にカイゼンを実行することです。

事例に挙げた5社では、すべての社長がKZ法やチョコ案などのプロジェクトに参加しています。そして、いずれの経営者も上から命令する参画ではなく「一緒になってカイゼンをする」というスタイルであることも共通点です。

3　問題の認知、現状把握と目指す姿（理想）を明示する

「現状の姿」と「あるべき姿」の両方を現場・現物などのわかりやすい形で認識できれば、問題解決は容易になり、実現手段も見出しやすくなります。

通常、あるべき姿はイメージするしかありませんが、KZ法においては擬似的ではあるものの、すっきり広がった職場という実物を見ることが可能です。さらには、その理想を実現するためのカイゼン対象も、「不要品」として目の前に現れます。つまり、理論や一般論ではなく、現場・現物を対象とした具体的なカイゼンの道筋が見えてくるのです。

4 現場・現物による問題の認知が素早い解決行動を生む

解決すべき問題が現場・現物として目の前にあれば、余分な議論抜きでの素早い解決行動が可能です。第2章の事例でも、5社すべてがその場で決定し、できることはその場で実行していました。その場で実行すれば、結果もすぐ確認できますから、さらにその場で次のカイゼンを具体的に進めることも可能です。このような体験は参加者にスピード感を身につけさせ、全社のカイゼンスピードを上げることにもつながります。

5 現場・現物によるコミュニケーションがもっとも効果が上がる

KZ法の現場・現物をつかったコミュニケーション（選ぶ、運ぶ、分類する、議論する、捨てる）には、役割や組織の壁を破る力があります。日常の仕事では、部門間のコミュニケーションの大半が数字を介したものになりがちで、人と人が直接顔を合わせるやりとりはますます減る一方です。このような状況で、会社全体を考えた全体最適の活動をすることは難しいといえます。ＫＺ法でのコミュニケーションは互いの理解を深め、チームワークを生み、全体最適を生み出す下地となるのです。

6　原材料・部品から製品まで、全体的なモノの流れに切り込むことが、経営成果につながる

社長のほか、あらゆる部門や階層の人が参加するＫＺ法では、それぞれの知識や経験、考えが披露されます。すると、参加者の多くが、原材料から出荷する製品までの一連の流れのなかにモノを位置づける視点を持つことになるのです。そこから前後の工程の担当者やお客様とのコミュニケーションが始まれば、考える領域が広がり、新しい発想も生まれやすくなります。これはまた人財を育てることでもあるのです。

チョコ案とは

チョコ案の概要

チョコ案とは、**会社の全員に身のまわりのチョコっとした不便や問題をカイゼンしてもらい、その内容と成果を用紙に書いて、報告してもらい、評価する制度**のことです。

すべての人にはカイゼンを実行する能力がありますが、残念ながら、多くの会社ではその能力が活用されていません。

チョコ案はすべての人が持っているカイゼンの心を掘り起こし、育て、磨き上げる仕組みです。

チョコ案ができるまで

わたしがコンサルタントになりたてのころ、指導先だったM社の現場をM社長に案内していただいたことがあります。

社長は組み立て作業をしていた、あるパートタイマーの女性のそばで足を止め「この方は素晴らしいカイゼンをたくさんしてくれるんです。そのハサミも、先月より明らかにつかいやすくなっています」とその人に聞こえる声でわたしに説明してくださいました。

その後も、M社長は数人の作業者のそばで足を止めます。そしてその方のカイゼンについて説明し、直接作業者にも話しかけ、感謝を述べていました。

後日、わたし1人で同じ現場をまわる機会がありました。ふと思いついて、先日の方々に、社長が声をかけたことについて感想を聞いてみたのです。コンサルタントになって日の浅かったわたしは、もしかすると「本当は緊張して困っていた」なんて声も聞かれるのでは、と想像していたのですが、とんでもありませんでした。みなさん例外なく「アピールしたわけでもないのに、社長が自ら自分のカイゼンを見つけ、しかも声をかけてくれて嬉しい」と喜んでいたのです。

わたしは自分の不明を恥じ、かつて「コンサルタントは、まず相手を認め、良いところをほめるところから指導を始めるべきだ」と考えていたことを思い出しました。社長と社員の関係にも、それはあてはまるはずです。単なるお世辞や社交辞令ではなく、社長が現場を把握し、事実に基づいてしっかりほめれば、その効果はなおのこと高まるでしょう。ただM社は総勢20名くらいの会社なのでできていましたが、もう少し規模が大きくなった場合はこうはいきません。

どうしたらできるだろうか……と考え始めました。

同じころ、もう1つ貴重な経験がありました。

P社というギフト用品をつくっている会社から指導の依頼があったのです。当時P社は開発した新商品で短期間に売り上げを数倍に増やし、急成長していました。しかし、その成長スピードに教育やシステムが追いつかず、お客様からのクレームが増えており、カイゼンで対応したいというのです。

さっそくP社にうかがい、K社長と一緒に現場を拝見します。すると社長が本人に聞こえないよう小声で、ある女性作業者Aさんのことを教えてくれました。

製品梱包の管理を担当している彼女は、最近大きなミスをしたといいます。デスクを見ると、パソコンの画面にたくさんのメモ付箋紙が貼ってありました。二度と失敗しないための対策だといいます。つまり、Aさんは失敗を反省したうえで、そのミスの原因を分析し、対策を講じていたのです。社長も「彼女が同じ失敗をすることはもうありません」とおっしゃっていました。

わたしが気になったのは、Aさんと同じチームで働いている同僚たちです。仕事内容はほとんど同じなのに、誰も付箋紙をつかっていません。その人たちが同じ間違いをする可能性はないのか心配になり、社長に「仲間の方々に今回のAさんの失敗の内容と対策を説明しましたか？」と聞いたところ「そうしたほうがいいと思いましたが、Aさんがかわいそうで、しそびれている」とのことでした。

Aさんのミスはそれなりの損害が出るもので、同じことがまた起きたら大変です。コンサルタントとしては未然防止対策として、他の人たちにも前回の失敗と対策を知っていただき、Aさんと同じカイゼンを実行してもらう必要がありました。その一方で、Aさんの立場を気遣う社長のお気持ちもよくわかります。

その両方を満たす方法がないかと考えました。

思いついたのは、社長から彼女のチームに今回の対策に取り組んでもらうことをお願いし、その対策をした全員を評価し、ほめるというものです。

この提案に社長は同意してくださり、その場でチームのみなさんに集まってもらい、A

さんが起こしたミスとその対策を説明してくださいました。すると、そのチーム全員が、未然防止対策の必要性とカイゼン内容を理解し、Aさんの対策をマネて、実行してくれたのです。

こうして、もしかしたら起きたかもしれない問題の発生を未然に防ぐことができました。会社のトップがみんなを集めてチャレンジを頼み、できたことを評価し、感謝するという方法が効果的だったようです。

これと同じ流れをカイゼン実行の仕組みとしてつくることができれば、多くの会社の経営に貢献できるようになるのではないかと考えるようになりました。

このときのカイゼンは、これまでさまざまな会社でおこなわれてきた「**改善提案制度**」と似ているようで、ずいぶん違いました。一般的な改善提案制度では、金額効果が出ることや、マネでなくユニークであることが求められます。ところが今回のAさんのケースの発端は「失敗」です。失敗した人が再発しないように直しただけなのだから、社長が評価する必要はないという考えもあるでしょう。また他人のカイゼンをマネするなんて誰でもできることをほめるのはおかしい、という意見もあるでしょう。

しかし、効果のあるカイゼンを全員が実行することは、会社経営にとっては間違いなく有効です。P社では、こうしたカイゼンをすぐにでも起こす必要がありました。それで、マネでもいいから、全員に毎月1件程度の頻度でカイゼンを実行してもらい、会社は1件につき100円のご褒美を出すという仕組みを始めます。

これが、ちょこっとしたカイゼンのアイデアを実行し、用紙で提出してほめてもらう仕組み「チョコ案」の始まりです。

当時P社には210名の従業員がいました。1人毎月1件のカイゼンを実行するとして、目標は年間2500件とします。ところが運用を始めた途端、会社全体でカイゼン活動が盛り上がり、実際には1年で約1万件のカイゼンが実行される結果になったのです。

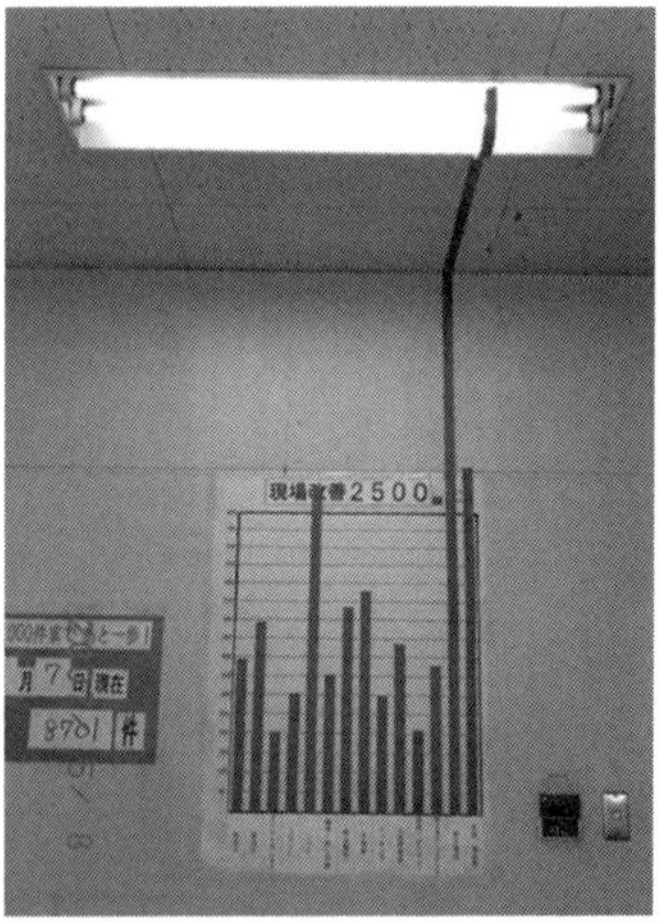

年間2500件のカイゼン目標が約1万件に。

「いくら数が大きくても、マネやささいなカイゼンばかりでは経営には役立たないだろう」という声もあったのですが、その予測も外れます。

その1年間でP社へのクレームは5分の1になり、在庫は1億5000万円減。みなさんがカイゼンを通じて仲良くなったおかげか、多かった退職者も激減し、リクルートが楽になるという、とてつもなく大きな経営成果に結びついたのです。

じつは導入当初、わたしはこの仕組みを「間違いを減らす」ことを目的とした、ある意味で消極的なカイゼンだと考えていたのです。ところが実際に運用を始めてみると、すぐに利益を増す積極的なカイゼンへと転じてしまいました。さらにはカイゼン発表会を通じて、社員全員が協力し合うようになり、全体最適のカイゼンへと変身したのです。

その後、このP社での成果を他社に広げられるか試してみたところ、すべての会社で大きな成果を上げることができました。

こうしてできあがったのが、現在の「チョコ案」です。

チョコ案と改善提案制度の違い

KZ法を実行すると、全社の問題点がわかり、それぞれの部署にいる人たちにカイゼンに取り組むモチベーションが生まれます。その次に必要になるのは、より多くの人にカイゼンに参画してもらえるようにすることです。

これに活用できるのがチョコ案です。

チョコ案では、すべての従業員にカイゼンを実行してもらいます。

多くの会社で「全員参加のカイゼン」という言葉が掲げられているようですが、実際に全員に参画してもらうのは簡単ではありません。実際にカイゼンをしているのはごく一部の現場だけということが少なくないのが実情でしょう。

チョコ案は、カイゼンから遠ざかることの多い、管理職や事務所の人、さらに言葉の不自由な外国人作業者、パートタイマーまで参画するカイゼンを実現するための方法です。

製造業の会社には、よく「改善提案制度」という仕組みが導入されています。

従業員が「これまでにない、こういうモノをつくったらどうか。費用はこのくらいだが、これだけの効果があるので役に立つ」というアイデアを提案するものですが、実際にはあまり活用されていないという話を聞くことが少なくありません。

その原因の1つは前述の通りハードルの高さです。たいてい金銭的な効果が出ること、マネでなくユニークであることを求められるので、提案を書くのは簡単ではありません。ユニークなアイデアを発想したうえで、つくりたいモノの概要と理由を経営陣にもわかるように説明し、効果算出までおこなうのはかなりの労力でしょう。

これを読んで、評価するのも大変です。わたしも一度、改善提案の審査に立ち会ったことがありますが、強く感じたのはその生産性の低さでした。

ある審査員が「数年前に同様の内容を見たことがある」というので、昔のファイルを調べたところ類似提案が見つかり、不採用になったのです。

しかし、よく考えれば、類似提案が提出されたのは、以前の提案が実行されず、そのことが共有されることもなかったからです。たまたま、違う人が同じアイデアを思いついて書いたのでしょう。そのために提案者や審査員が費やした時間と労力は小さなものではありません。その結果、何も生まれていないのです。

チョコ案には、こうした改善提案制度のような高いハードルはありません。会社の全員が、自分でマネを含めたチョコっとしたカイゼンを実行し、報告するだけです。

1点だけ厳しいのは「なるべくやってほしい」という依頼ではなく「全員が毎月1件以上、必ず実行してその結果を報告する」という指示にしているところでしょう。しかし心配はいりません。チョコ案には金銭的な成果も、独自のアイデアである必要もないからです。壊れていたところの修理でも構いません。

チョコ案というカイゼン活動には長く継続できるというメリットもあります。それは、ルールの緩さがあるからです。

マネも認められる仕組み

チョコ案にはさまざまなカイゼンが報告されます。

たとえば**メモリースティックの上側に色を塗る**というアイデアもその1つです。常に上側がわかるので、よくある挿し間違いがなくなります。このカイゼンで出る金額効果はおそらく微々たるものでしょう。しかし、それでも事務作業の効率化に意味があることは間違いありませんから、1件として認めます。

そして、この報告を知った別の人がそのカイゼンをマネて実行すれば、それもまたチョコ案1件です。その結果、その会社の人たちは全員、メモリースティックを1回で正しく挿すようになるでしょう。これは小さくとも全社的なカイゼンだといえます。また、これなら月1件のノルマに悩む必要もありません。

経営者から見ると、良いカイゼンは全社的にマネをしてほしいものです。しかし他人をマネることには、抵抗感がつきまとうことがあります。勝手にマネるのは罪悪感があり、マネしていいかと聞くのも悔しい。マネるために、これまでのやり方を変えるのは嫌だという感情も人間には存在します。上からの命令として「このカイゼンをマネるように」といわれても、なかなか現場が変わらないのはそのためです。

しかし、チョコ案ではマネることも、カイゼン努力として認めます。マネるのにも努力が必要だからです。このやり方だと抵抗感を持つことなく、良いカイゼンが広がります。これは会社にとっては成果ですから、その意味でも、当然カイゼンとして扱うべきなのです。

このようにして、**チョコ案を実施すると、会社の人全員がずっとカイゼンをやり続けるようになります。**

最初に報告されるのは、身のまわりの不便なことのカイゼンや、棚の表示といったものが大半です。しかし、カイゼン発表会などを通じて、自分の前後の工程のことを理解し始めると、工程間の問題を対象としたカイゼンへと広がるようになっていきます。そして、社内の全員が、目の前の不便を自らの手で変えることに違和感を持たない環境ができていくのです。

実行したカイゼンを用紙に書いて提出

チョコ案では、実行したカイゼンを用紙に書いて提出してもらいます。改善提案制度と違い、報告されるのはすでに実行されたカイゼンなので、詳しい記述は必要ありません。最低限、カイゼン前の状態とカイゼン後の状態、そしてカイゼン者の名前の3行あればOKです。読むのも簡単なので、経営者は自社内で実行されたすべてのカイゼンに目を通すことが可能です。また、カイゼンされた問題というのは、じつはそれまで問題が存在していたところでもあります。「ここに問題があった」と知ることは、まだカイゼンされていない隠れた問題を見つける手がかりにもなるのです。また、チョコ案を通して、普段目立たない作業者に秘められた才能を見出すこともよくあります。

そして、この用紙を貼り出すことで、社員全員にカイゼン継続の必要性を伝えることもできるのです。

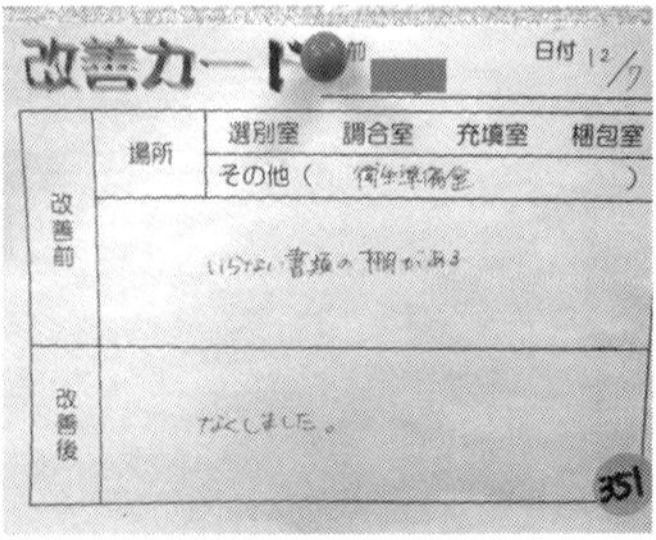

チョコ案による「改善カード」の例。

カイゼン発表会の開催

定期的にチョコ案の発表会を開くことも大切です。

報告されたカイゼンのなかから良いものを選び、カイゼンした本人に発表してもらう場ですが、発表は各1分程度にしています。カイゼン前とカイゼン後の様子を撮影した画像をプロジェクターで大きく映し、簡単な説明を加えてもらえば十分わかるからです。こうすれば発表者の負担も小さくできます。

参加はできる限り幅広く、あらゆる部門、職位の人がその場にいることも重要です。そうすることにより、普段は別々の場所で働いている人たちが、お互いの仕事を理解し、より幅広い全社的なカイゼンをするきっかけになります。

発表されたカイゼンは、社長や上司が全員の前でほめます。内容によっては、その場でみんなにマネすることを呼びかけることもあるでしょう。カイゼンを提案した人は誇らしい気持ちになり、会社にとっても成果がもたらされます。

いそのボデーのカイゼン発表会では、ある現場作業者から、自分の仕事専用の計測治具をつくったという発表がありました。それまでは毎回メジャーで測っていたのですが、治具をつかうことで以前より速く正確に測れるようになったそうです。

これを聞いた社長は、その治具のすばらしさをほめると同時に「各部門で毎月1つ以上の治具をつくってチョコ案として提出し、発表会で共有してほしい」とお願いしました。その後、各部門では定期的に「次はどの作業の治具をつくるか」が話し合われるようになり、次々とアイデアが現実化します。さらには計測以外の位置決めや支えの治具も登場し、今では設計の段階での治具までつくられるようになっているのです。

治具は便利なものではありますが、必要不可欠というわけではありません。多くの現場と同じく、いそのボデーにおいても以前は「あったほうがいいけど、なくても大丈夫」といったレベルの存在だったのです。

この状態では治具は広まらず、生産性も上がりません。しかし、チョコ案とカイゼン発表会での社長の言葉で、こうした変化が起きました。

どんなに良いカイゼンであっても、現場は常に忙しくヒマな人など誰もいません。ただ「治具をつくれ!」と命令しても、こんなふうに動くことはないでしょう。

このケースでは、「チョコ案で月に1件は必ず何かのカイゼンをおこなう」という習慣が全員に身についているなかで、治具という具体的で役に立つテーマが与えられたことがポイントです。

チョコ案はほめる仕組み

製造部門の仕事は、会社でほめられる機会の少ない部門だといえます。

なぜなら、彼らに求められるのは決められたことを繰り返すことだからです。欠勤や機械故障、品質や納入のトラブルを乗り越え、生産を達成することは簡単ではないでしょう。しかし、たとえば100個の生産要求に対し99個しかできなければ問題視されますが、仮に101個つくる能力があっても100個つくることしか許されません。叱られることはあっても、ほめられることの少ない部門なのです。

こうした部門にとって、チョコ案は大きな励みになります。自分たちの「決められたことを繰り返す」という仕事でのカイゼンをほめてもらう機会になるからです。カイゼン発表会でほめるだけでなく、社長が直接現場に顔を出し、気に入ったカイゼンを見にいくのも良いでしょう。現場の作業者は誇らしく感じ、さらなるカイゼンへのモチベーションが高まります。社長にとっても、経営に関する新しいアイデアを得るチャンスになるはずです。

このようにして、チョコ案は気楽に身のまわりの不便をカイゼンし続ける習慣をつくります。変化を恐れず、むしろ当たり前のこととして自発的に取り組む組織になるのです。

このような会社では、どんな問題が発生しても、すぐにみんなが集まり、問題解決のカイゼンが始まります。これはある日いきなりできることではありません。普段からのカイゼン実行の積み重ねがあって、初めて可能なことなのです。

チョコ案継続の際に注意すること

チョコ案を続けていると、こんな声が出ることがあります。

「毎月1件以上というノルマはこなせるようになったから、次はカイゼンのレベルを上げるようにしたらどうですか？」

カイゼンの数ではなく、質を高めるチャレンジを求めたくなるのです。

しかし、わたしはこのチャレンジを禁止しています。

その理由は、質を求めることで、これまで気楽にチョコ案を実行してきた人たちが慎重になり、職場で実行されるカイゼンが大きく減ってしまう可能性があるからです。チョコ案は、中身の良し悪しを問わないことでカイゼンの数を増やし、そのなかにある素晴らしいものを広げるという方法だといえます。しかし実行される数が減れば良いカイゼンも減ってしまうかもしれません。

そして、何より、会社全体の変わり続ける意欲を削いでしまうことにもなるのです。

ということで、わたしは数についてはお願いしますが、質についてはお願いしないようにしています。

チョコ案は会社のすべてのみなさんの具体的な成果です。

社長はもちろん全員で称賛し、会社を発展をさせていくことが肝要だといえるでしょう。

チョコ案が持つ「カイゼンの心に火をつける4原則」

チョコ案の仕組みは、P社でのカイゼン活動で思いついたものです。

幸い素晴らしい結果が出たのですが、当時は「P社だから成功したのだろう」と考えていました。現場はパートタイマー中心で、過去のカイゼン活動のない急成長企業という環境だからこの仕組みが合っていたと思ったのです。

ただ、その効果はわたしの予想を大きく超えていました。そこで指導している他の会社でも運用することにしたのです。一部上場企業から総勢20名の会社まで、業種も自動車、電機、食品など広い範囲に展開したのですが、そのすべてで大きな成果を出すことができました。

この過程を通じて発見したのが、チョコ案が持つ4つの**「カイゼンの心に火をつける原則」**です。

「カイゼンの心に火をつける4原則」

原則1　カイゼンの心に火をつける火種の存在

カイゼンを要求したり押しつけたりしなくても、困ったり不便を感じるといったきっかけで、人は自ら知恵を出してカイゼンを実行する。

わたしたちは、自分しか頼れない状況で問題にぶつかれば、解決するために自分なりに対応します。これがカイゼンであり、人間は誰もがカイゼンの能力を持っていることは間違いありません。

これに対して、会社という組織では、基本的に上司からの指示によって動くことが求められます。勝手に何かを変えることはできませんし、そのためにはわざわざ指示を仰ぐ必要があるのです。こうした環境にあると、各自のカイゼン実行能力は発揮されず、眠ってしまうことになります。しかしそれでも、カイゼンの火種は確実に存在しているのです。

原則2　カイゼンの心の火種への点火

埋もれていた自主的なカイゼンが、経営者・管理者に発見され、ほめられることで、その人の心にさらなるカイゼンへの意欲が生まれる。

実行した本人は「当たり前のこと」と思っていたことが、じつは誰もが気づかないでいた、大きなカイゼンの切り口になることがあります。

センサーを製造するY社では、当時、納期遅れが多発し始めていました。

製造現場を拝見すると、各センサーの組み立て工程は5つの工程に分かれており、各工程が終わるたびにストアに入り、次の工程の人が取りに来るまで停滞してしまう状況になっています。この結果として、完成までの時間がバラツキ、長くなり、納期遅れが出ているのは明らかでした。

わたしは「これでは遅れが出るはずです。一気には無理かもしれませんが、5つに分けてある工程を部分的にでも統合することはできませんか？」といった意見を現場にいらしたみなさんに申し上げました。

すると、女性リーダーのYさんが何か言いたげな顔をしているのに気づきました。「ご意見ですか？」とたずねると「工場長の前でこんなことを申し上げるのは心苦しいのですが」と口ごもりながら「じつは、本当に間に合わないようなときは、今、柿内先生がおっしゃったように、全部の工程を1人でやっています」と教えてくださったのです。「工場長の許可なく勝手にやっているので、いえませんでした。本当に申し訳ありません」とのことでした。

たいへん驚きましたが、素晴らしいカイゼンなのは間違いありません。わたしはその場で感謝を伝え、実際にその作業をやってもらうことをお願いしました。

覚悟を決めたYさんは、ご自分の机の下から手づくりの治具を出し、材料をそろえて1人で1個ずつつくるやり方を実践してくださいました。すると、これまで何ヶ月もかけてつくっていた製品が、1個だけとはいえ10分ちょっとで完成してしまったのです。

怒られると思って恐る恐る声を上げたYさんでしたが、その方法が当時のY社のピンチを救う答えになると、その場にいた全員が理解しました。さっそく生産部の部長をリーダーとするプロジェクトが組まれ、Y社は数ヶ月のうちにすべての製品を1人で組み立てるやり方へと変更したのです。納期遅れの問題はこうして解決されました。

このようなことは珍しいことではありません。

チョコ案はこうした眠っているカイゼンを発見し、ほめることで、カイゼンの火種に火を点すのです。

原則3　カイゼンの心の火の拡大

他人の実行したカイゼンをマネすることもカイゼンであると認めると、カイゼン活動を広げることができる。

チョコ案では、他人のカイゼンのマネもまたカイゼンです。

そうすることで、社内で点火したカイゼンの心の小さな火を、素早く、他の人にも広げていくことができます。

そのためには「マネを認める」ということを、会社がきちんと宣言することが大切です。人のマネには抵抗感がつきまとうので、後押ししなければなかなか実行されません。

小さくとも素晴らしいカイゼンを全員がマネれば、その瞬間に会社には大きな効果が出始めます。そのためには上司が進んで良いカイゼンをマネて取り入れ、今月のチョコ案として提出し、みんなを導くことが必要です。

原則4　「見える化」によるカイゼンの心の火の成長

実行したカイゼンを自ら記入した用紙を、誰でも見える場所に掲示すると、経営者から全従業員にすべてのカイゼンの情報が伝わり、共有化される。

チョコ案の報告用紙は簡単にすることが大切です。

正確な数字や理由、目的といったものは必要ありません。カイゼン前と後のことを書いてもらえばいいのです。記入が簡単であるほど、実行される数、報告される数は多くなります。

すると、読むのも簡単です。

50人の会社であれば、社長は毎月50枚以上のチョコ案を読むことになりますが、字数が少ないのでパラパラとめくりながら読むことができます。自社のカイゼンの状況を知ったり、目立たない従業員の隠れた能力に気づくこともできるでしょう。先のセンサー製造のY社のように、作業者自身も気づいていないカイゼンを発見できる可能性もあります。

これはカイゼンの「見える化」を進め、社内に点ったカイゼンの心の火をより大きく成長させることだといえるでしょう。

コラム

KZ法で自宅をカイゼンした実例

佐藤製型株式会社
長谷川麻美さん

目指せ！「ルンバの使える部屋」

KZ法を教えていただいた後、アパートの建て替えのため、強制的に引っ越しが決まりました。そこで、新しい部屋をどのようにするか考えてみました。

現状、部屋には物が多く、掃除が大変で、しかも、置いた荷物の隙間に埃が溜まった状態になっていました。会社でもKZ法実施の際、動かした荷物の跡がつくほど、いたる所が汚れていました。作業着に汚れが移り、「ヤダな～」と思ったことが、家の中でも起こっていました。

私はある目標を立てました。せっかくの機会なので「ルンバの使える部屋」。これを目標に、KZ法を自宅で実践してみました。

35個もあったバッグ。

まず、私の好きなバッグの整理から。上の写真で、

悩み抜いた末に 32 個のバッグを処分。3 個を今後のバッグの定数に決めた。

35個ありました。これだけでも物の多さを実感しました。必要品、不急品、不要に分けた結果、31個不要品が出ました。本当に必要で使用している物は、現行で使用しているカバンのみ。

3個不急品で残しましたが、現行のカバンが破損した場合の予備を1つ入れていました。1週間考えた末に、流行り廃《すた》りを考えた結果、捨てることにしました。結果的に3個残し、今後の定数を3個としました。

思い出や思い入れをどう整理するか

次に、食器の片づけを実践しました。

食器に関しては、不要、必要で分け、必要品の定義は、2週間以内に使用したか否かで分けてみました。

私が勤務する佐藤製型株式会社の佐藤広美社長が、廃棄する食器に新聞紙を巻くのを手伝ってくださり、食器だけでゴミ袋7袋も廃棄物が出ました。

購入した物はほとんどありません。父が生前、購入したり、いただいた物を、以前の引っ越しの際ではほとんど廃棄せず、現在の家に持ってきていました。1年以上使用していない食器を置きっぱなしで、埃が被っているので、父に「使わないなら捨てれば」「俺は使ったが、お前は使ってない」と言われそうです。

会社で行ったKZ法でも、「懐かしい〜。昔これで、良く加工したな〜」「これがあったから、あの仕事ができたんだよ」など、思い入れが意外と邪魔をし、不急品が増える傾向にありました。

家にある物の大半には、思い入れや思い出が詰まっています。その思い出をどう処理するかが、今後の部屋の片づけに影響すると感じました。目標達成に近づけるためにどうすべきか、とても悩みました。

食器だけでゴミ袋7袋分も廃棄物が出た。いかに使っていない物が多いかわかる。

大小さまざまなリラックマが部屋のスペースを占有していた。

趣味のコレクションを整理する

私は、リラックマが大好きです。一時期、ゲームセンターのクレーンゲームを始め、各種のグッズを買いあさっていました。いざ、引っ越しとなったとき、リラックマのぬいぐるみを置くスペースがあるのか。引っ越し費用がかさむのでは。いや、手放さなければ、新しいものが手に入らない！　ということで、手放す決意をしました。

さすがに、捨てるのは抵抗があったので、まずは、会社に持ち込み「ご自由にお持ち帰りください」をしてみました。

うーん。どのご家庭も、小さいお子様がいないので、手を出していただけませんでした。

ここで、佐藤社長からご提案がありました！

近くでお祭りがあるから、お祭りの主催者に、「景品としていかがでしょうか」と聞いてくれたそうです。そうする

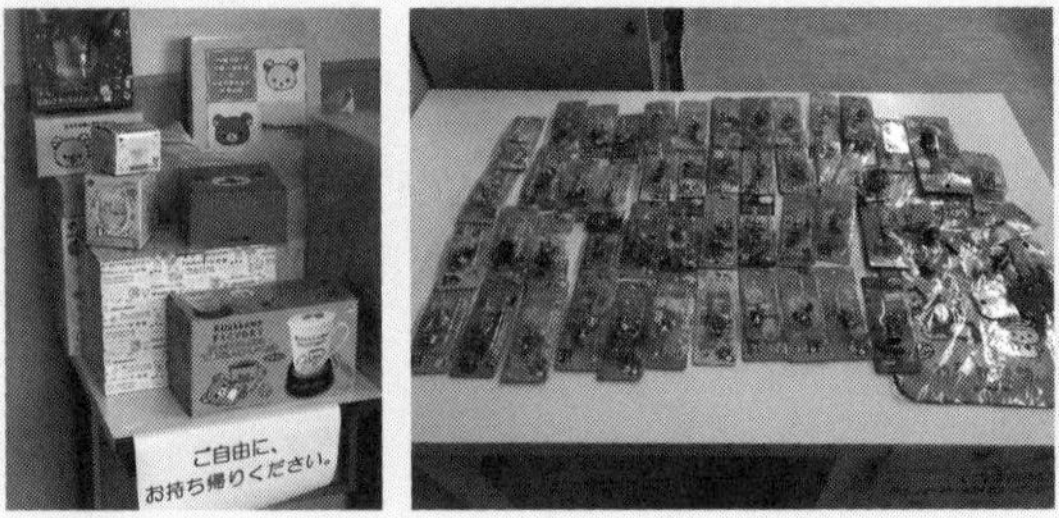

会社では誰も持ち帰ってくれなかった（左）。ストラップ類も山のよう（右）。

と、「小学校低学年までが対象の、無料輪投げコーナーがあるので、その景品に是非！」と言っていただけたということでした。かわいいリラックマたちの巣立ちです。

お祭り当日に、佐藤社長が見に行ってくださいました。小さい子供たちが、リラックマを抱えて、走り回っていたそうで、喜んでもらえて嬉しかったです。

買う前に捨てるときのことを考える

「女性にしては靴が少ないね」と、友人に言われて、「この下駄箱、いつ開けたかな？」と、考えたら、半年ぐらい開けてないことに気がつきました。なんということでしょう。

部屋の整理を始めて、随分物を減らしてきたせいか、「全部いらない」と思い、下駄箱内の靴、すべて廃棄しました。残ったのは、普段履いている作業靴と運動靴だけです。かわいいと思って買ったものの、やはり機能性を考えたり、長く歩くとなると、運動靴を選んでしまい、履く機会を失っている靴がこんなにあったことを自覚しました。

実際、入社当時（十数年前）の革靴もあり、今では履けなくなっており、悲しくなりました。

現在は新しい引っ越し先に移って、広い部屋の良さ、見える範囲に物が少ない良さ、以前と同じ画面サイズなのに、テレビが小さく見えたり、すっきり感がすごく心地いいです。

必要書類や、本、掃除用具、喪服、コートなど、すべて納戸（ウォークインクローゼット）に収納してあるため、物を探す時間がかなり減りました。

ある人から、引っ越しの際に「捨てたものは買わない」「買ってしまったら捨てる」「買う前に捨てるときのことを考えろ」と、言われました。

物を買うときは、捨てることを意識しないものです。捨

運動靴と作業靴の２足を残し、下駄箱内の靴は思い切って全部廃棄。

てるのは極端かもしれませんが、購入する際、これを買うといらなくなるものや、メリット、使用目的などがはっきりするようになりました。

「かわいい、これいい、便利かも、などという、曖昧な動機で物を買ってはダメなんだ!」

と再認識しました。

社内のKZ法がきっかけで始まった自宅のKZですが、新しい生活を心地よく迎えることができ、誰が訪れても恥ずかしくない部屋になったと思います。

会社も心地よくお客様を迎えられるように、KZ法を通して変化させていきたいと思いました。

第4章

人財が育ち、経営課題を解決する「カイゼン4・0」

カイゼン4・0の特長

わたしが指導している「**カイゼン4・0**」は、会社で働いているすべての人が例外なくカイゼン力を持っていることを前提としています。そのカイゼン力を引き出し、全員でワイワイガヤガヤと楽しく活用し、経営者の描くビジョンの方向へと向かうカイゼンを実行し、成果を出すものです。

社長が「解決しろ！　損するな！」と怒鳴り散らすことはありません。

社長は「良いモノをつくろう！　もっと世の中の役に立とう！」とみんなを元気づけながら、現場・現物で一緒にカイゼンを実行するのです。

カイゼン4・0は、一般的なカイゼンとは違います。

その特長を具体的をまとめておきます。

特長1　組織内の壁を取り去り、本格的な全体最適のカイゼン活動ができる

カイゼン4・0では、社長が自らの役割を果たしながらも、現場・現物の発想を持ち、従業員と同じ目線でモノを前にしながら、カイゼン課題解決に参画します。

カイゼンに参画する人たちは、目前のモノに注意を向けることで、組織の壁にとらわれず、本音の心のつながりをベースに意見交換をおこなうことができます。こうして、本格的なカイゼン活動を効率良く進めるのです。

KZ法では、複数の部署の人たちが現場・現物に基づいた具体的な議論をおこないます。一緒に問題を解明し、カイゼンするという体験を通じて、部署間、職位間の壁は取り払われるでしょう。

複数の部門にまたがるテーマは、特定の部門だけではなかなか解決できません。しかし現場に存在するモノを観察し、複数の部署が集まって討議をすれば、そこにある問題は全体の多くの要因の重なった結果だということが理解できるようになるでしょう。つまり、モノを通して全体がカバーされ、その場で答えを得ることができるようになるのです。

人間は、本質的には全員が自分なりの答えを持っているものです。しかし組織においては、それを表明することに迷いが生じがちです。とりわけ経験の浅い人はなかなか踏み込むことができません。

しかし目の前にあるモノを通したにぎやかなコミュニケーションの場では、そうした壁も感じず、多少自信がなくても、モノを根拠にした自分なりの意見として口にすることができます。そうした自由な意見のなかには、素晴らしいものがたくさん含まれているのです。

これを経営者が聞き逃さず、しっかりとらえることができれば、大きな改革に結びつくようなすごいアイデアが生まれ、全体最適のカイゼンが始まります。

特長2　社長の考えがきちんと伝わり実現の方向にカイゼンが進む

カイゼン4・0では、社長と従業員が一緒に活動するので、従業員は社長が求めていることが何かを身をもって理解し、受け止めることができます。そのためには、従業員と一緒の活動の場では、社長の考える世の中の変化に対する危機感、将来に対する夢を、普段からみなに話してもらうようにすることも大切です。これができれば、従業員は各自自分なりに貢献できることを考え始めます。

すると社長からの具体的な指示がなくとも、それに沿う小さなカイゼンが自然に増えるようになります。それが蓄積することで大きな成果を生み出すのです。

チョコ案の仕組みは、こうした各自の自発的なカイゼンを促進します。

しかし、現場従業員の多くは、社長の望みと自分の実行したカイゼンとの関係を論理的にきちんと説明することはできません。

だからこそ、社長の側からそれを評価することが重要になります。社長が現場のカイゼンを知り、それが会社に貢献していることを認め、ほめ、感謝すれば、自分のカイゼンの意味に気づいた従業員は、進んで次のレベルのカイゼンを実行してくれるようになるのです。

特長3　人財育成が進む

社長や上司による具体的な称賛は人財育成に大きな力を発揮します。

とりわけ、組織のトップである社長の場合はその効果は絶大です。従業員の努力や意欲を見抜き、適切にほめることが、カイゼン力向上と人財育成効果をもたらします。

また、従業員同士のコミュニケーションも人を育てるうえで重要だといえます。

とくに、相手にわかるように「伝える」「教える」ことは、教えられた側よりも、むしろ教えた側に多くの学びをもたらすものです。自分のカイゼンを他の人に教えることも同じで、教えられた人は情報を、教えた人は成長を得るといえるでしょう。

カイゼン4・0の場では上下関係はありません。KZ法実行時やチョコ案の発表会では、ごく当たり前に、部下が社長に教えたり、一緒に考えたりということが起こるのです。このとき、職位の上にある人が率直に「教えを乞う」というスタンスをとれば、上司部下の間にある壁を取り払った活発なコミュニケーションが生まれます。つまり、誰もが教える側に立つことができ、それはその人を育てることなのです。カイゼン4・0では、社長が従業員を育成するのみならず、従業員が社長を育成することにもなります。

特長4　全体最適のチーム編成ができる

現場のモノをベースにしたカイゼンをおこなうカイゼン4・0では、人財が育ち、形式や建前にとらわれない人のつながりが生まれます。するとカイゼン課題、解決すべき問題に適する人財が自ずと集まり、最適なチームが形成されます。
これは通常の組織運営ではなかなかできないことだといえるでしょう。会社という組織は、複数の部門に同時に同じ仕事の指示を出すようにはできていないからです。

たとえば、倉庫内の在庫を片づける場合、その指示は倉庫係に出されます。
しかし、倉庫内にあるモノにはさまざまな部門が関わっているものです。倉庫係の人は「不要だ」と思っても、本当に捨てていいかどうかを判断できないモノがたくさん出てくるでしょう。そこで、それらを記載したリストをつくり、営業部門や設計部門などに「捨ててよいか」の判断が委ねられます。しかし各部門の担当者にとって、その作業は優先順位の低いものとなり、なかなか進みません。最悪の場合、誰でも捨てていいとわかるゴミしか捨てられないという結果になります。こうしたことは、世界中、さまざまな現場で起こっているのではないでしょうか。

KZ法は違います。その場に営業部門も設計部門もいますから、倉庫内にあるあらゆるモノについて広い視野から即断ができるのです。それだけでなく、浮かび上がった問題点をカイゼンしようと、設計変更や形状変更といった全体最適な話へと発展することも少なくありません。

特長5　新技術開発、新商品開発、新市場開発が進む

カイゼン４・０で工程や生産能力が増し、人財が育ち、さらには自由な発想を大切にする風土ができてくると、会社には大きな余力が生まれるでしょう。これらを投入することで、新技術開発、新商品開発、さらには新市場の創出を進めることができます。

第２章で紹介した事例には、新技術や新商品、あるいは新市場を創造したものが多くありました。思い起こしていただきたいのは、そのなかに、社長が担当部門に指示してつくらせたものは１つもない、という点です。すべて、チョコ案や何気ない一言、ＫＺ法実施時の会話から見つけられたものでした。

これは、現場現物でのモノを出発点にしたワイワイガヤガヤの持つ、大きな力に他なりません。多様性の高い人の組み合わせ、そして、失敗を恐れず自由闊達《かったつ》に言葉を交わせる雰囲気での会話こそが、新しい発想と実行力を生み出すのです。

すべての人には、素晴らしいカイゼン力が備わっています。誰もが、とてつもない大きな変革を起こす可能性を秘めているのです。しかし、多くの人は自分のカイゼン力に気づいていません。会社という組織においては、失敗を恐れる気持ちや、部門の壁が邪魔をすることもあります。カイゼン4・0のつくる場は、こうしたバリアを取り払い、みんなが本来の能力を引き出し、活動し始めるきっかけをつくるのです。

モノには、ニーズがあり、設計があり、生産があり、販売があり、使用する行為があり、最後は処分されて終末を迎えます。ですから、たとえ1つのモノについてでも、そこに多くの関係者が集まってその想い、考察、議論、情報交換をおこなわなければ、広範囲の全体最適につながる問題提起、カイゼンを生み出すことはできません。

カイゼン4・0から新技術開発、新商品開発、新市場開発がもたらされるのは当然といえるのです。

特長6　カイゼン実行のスピードが上がり、量も増える

カイゼン4・0では、良いことのマネを大切にします。

カイゼン発表会も同じです。発表された成果は共有され、良いカイゼンはその場で横展開されます。

1つの部門で生まれた素晴らしいカイゼンが、他の10の部門でも実行されれば、その成果は大きくなります。たとえ数値化できなくとも、この成果は画期的な開発成果にひけをとるものではありません。

次々にカイゼンが実行され、マネされていく状態をつくるためには、社内で実行されるカイゼンの数がものをいいます。チョコ案が「マネでもいいから、全員が月に最低1件のカイゼンを実行する」というルールなのはそのためです。

カイゼンは「まずやる」ことが基本です。

いいアイデアが出たらやるとか、時間ができたらやる、ではいつまでたっても前に進まず、人は育ちません。アイデアが浮かんだら、その場ですぐに実行すること。これより速いスピードはありません。

特長7　モチベーションが上がる

初めてKZ法やチョコ案に参加すると、多くの人がその効果に驚かれます。そして「本当にできるとは思わなかった」「無理だと思っていたことが目の前で実現し、感激した」「もっと続けたい」といった感想を持たれるようです。

つまり、多くのみなさんが問題があることに、気づいていたのです。しかし、自分には無理だと思ったり、会社における自分の役割がわからず、そのままにしていたといえます。しかし、KZ法やチョコ案に参加することで「みんなですぐ実行すればできる」という感覚を持つことができたのです。これは会社における自分の役割や貢献を実感することでもあります。

経営革新は、大発明や大発見によって成し遂げられることもありますが、それよりも「今までできていなかったことができるようになった」という普通のことが、結果として経営を革新するのです。

カイゼン4・0では、関わったすべての人が役割を持ち、自身の貢献を感じることを重視します。このモチベーションが、品質を良くし、効率を上げ、在庫を減らし、やがては今の時代に必要な新商品を生んだり、新しいマーケットを見つけるといった成果を生み出すのです。

特長8　これまで隠れていた問題が顕在化する

KZ法では、すぐつかわないモノや問題があるモノに全員でカードを貼りますが、もしこのとき「今は厳しい時期なので、できる限りたくさんのカードを貼ってほしい」と指示すると、30枚のうち半分のカードも貼れません。なぜなら「間違いなく不要だ」と判断できるモノにしか貼れないからです。

しかし「持っているすべてのカードを貼り終えてください。間違いを気にする必要はありません」と指示すれば、他人の意見を気にせず、自分が問題と考えたモノに対して積極的にカードを貼るようになります。

これは、それぞれの人が心のうちでは思っていたけれど、それまでは隠れていた問題点を顕在化させる作業です。

誰もが「自分には不要だけれど、きっと他の誰かがつかうのだろう」と考えて捨てることができなかった大量のモノが、カードで顕在化し、広いスペースが生まれました。解決するべき問題は、このように隠れているものなのです。

プロジェクトXにみる、カイゼン4・0との共通点

現在、日本の製造業は苦境にあえいでいるといわれます。

その原因の1つがカイゼンにあるという意見があるようです。

「これからの時代、カイゼンのような小さな変化を積み上げていては間に合わない。昔からカイゼンが得意だった日本は相変わらずカイゼンにしがみついているので改革が遅れるのだ」

というわけです。しかし、わたしはそうは思いません。

以前NHKで放映されていた『プロジェクトX 挑戦者たち』というドキュメンタリー番組をご存知でしょうか。毎回、さまざまな大きな課題や問題に挑む命がけのチャレンジが始まります。大きな壁を前に挫折し、それを助けに来てくれる人々。それでも上手くいか

ず、誰もが「もうダメだ」とあきらめかけたころに、かすかな光が見えてきて、最後は成功にたどり着く。多くはこのパターンです。

この番組が大好きだったわたしは、現在の日本の基礎はカイゼンによって築かれたのだと毎回痛感していました。

そして番組の最後、スタジオには実際に活躍されたご本人たちが登場します。そのほとんどは有名な一流経営者でも、著名な研究者でもなく、ごく普通の人たちでした。

「決して突出した才能がなくても、燃える心を持った普通の人が助け合えば、改革は起こせる」

この番組は、わたしにこうメッセージを送ってくれていたのだと思います。

カイゼンの真の力は、普通の人たちが現場・現物視点で、ワイワイガヤガヤと試行錯誤を繰り返すことの持つ力です。わたしがコンサルタントとして指導するさまざまな現場で出会った人たちも彼らと同じく、力を合わせることで、この困難な時代に大きな成果を出し続けています。

その力は今もまだ健在です。

むしろ、これからの時代にこそ生かさなければならないのです。

海外にもカイゼン4・0に共通する動きがある

これまで、カイゼン4・0は、日本の中小企業に向いた手法として指導や紹介をしてきました。今でもこれを得意とするのは日本の会社だと思っています。

しかし最近では、欧米でもわたしとよく似た考え方や動きがあるようです。

ご参考までに3つの例をご紹介します。

ティール組織

『ティール組織』（フレデリック・ラルー著、鈴木立哉訳、英治出版。原題 Reinventing Organizations: A Guide to Creating Organizations Inspired by the Next Stage of Human Consciousness）という本が出版され、話題になっています。

ティール組織は組織形態の1つです。まだ理論的には確立されていないようですが、一般の会社のような組織も目標もないにもかかわらず、チームとして助け合う機能があり、素晴らしい成果を出すような組織を指します。

欧米の組織では、従業員をルールと契約で縛りがちでした。与えられた目標を達成するかしないかで"Up or Out"つまり昇進かクビかの競争をさせる仕組みで会社が運営されてきたといいます。

ところが、そうした組織や契約の緊張から解放され、自主的な動きを許されると、非常に前向きな働き方になり、これまで発揮されなかった能力が発揮され、大きな成果を生み出せるというわけです。

一言でいえば、従業員を疑い、ルールで縛るこれまでの組織形態ではなく、従業員を信頼し自主性に任せる運営をする組織だといえるでしょう。

欧米人の著者（フレデリック・ラルー氏）にとって、このような事実は驚きなのかもしれません。しかし日本人なら、多くの人が「そうだろうな」と納得するのではないでしょうか。

戦略のあまりはっきりしない状態で、みんなで現場をカイゼン実行する。すると戦術であるカイゼンが大きな成果を上げて経営に貢献をするようになり、やがては経営戦略になってしまうということは、日本の製造業ではよくあることです。「みんなで助け合いながら、失敗を恐れず、まずやってみる」というカイゼンの進め方は、ティール組織のイメージに類似しているのではないでしょうか。

さらにいえば、経営トップも入った全員参加のアプローチをするカイゼン4・0は、ティール組織との共通点がさらに多いと感じています。

どちらも「自分の能力を磨きながら、お互い助け合って仕事をする」という人間本来の生きがいを感じる、幸せな働き方だからでしょう。

もしかすると、カイゼン4・0が実施されている会社は、かなりティール組織的なのかもしれません。少なくとも、カイゼンを進めるのに合った組織形態とはこのような自由度の高さを持ったものであるのでしょう。

心理的安全性（psychological safety）

コンサルタントになりたてのころ、クライアントによってコンサル終了後の気分がかなり違うことに気づきました。ウキウキして終われる会社と、その逆にくたびれてぐったりしてしまう会社があるのです。その違いについて、考えたことがあります。

そのとき出した結論は「地雷を踏む可能性の高いクライアントはひどく疲れる」というものでした。「地雷を踏む」とは少々物騒な表現かもしれません。ようするに、少しでも不注意な発言をすればすぐ問題になり、しかも簡単には挽回できない雰囲気のある会社だと、くたびれるということです。

外部のコンサルタントがそう感じるのですから、内部で働く社員の方々はもっと大変でしょう。やはり、誰もがのびのび、失敗を恐れずに発言したり、実行したりできることが、組織にとって大切だと改めて感じました。


こんな昔のことを思い出したのは、Googleが2012年から実施していた「プロジェクト・アリストテレス」という生産性向上計画の結果を読んだせいです。

そこには「チームを成功に導く5つの鍵」という項目があり、その鍵の1番目になっていたのが心理的安全性（Psychological Safety）でした。

心理的安全性とは「こんなことをいったら叱られる」とか「笑われるのではないか」といった不安を一切持たないで済む雰囲気があり、すべての人がのびのびと自分の意見をいえる状態が担保されていることだとされます。このことが、会社におけるチームを成功に導くというわけです。

たしかに、人の目を意識してビクビクしながらの仕事では、大きな変化は起こせません。カイゼン4・0が生み出す、みながワイワイガヤガヤと楽しくカイゼンをできる環境も、心理的安全性を高めるものだといえそうです。

当たり前のことのようにも思えますが、Googleが大規模におこなった調査の結果がこれというのが、面白いと思いました。

リバース・メンタリング(reverse mentoring)

メンターという言葉は日本でも少しずつ広まっていますが、わたしは「お師匠様」という解釈でつかっています。困ったことが起き、にっちもさっちもいかなくなったときに、その道の達人に教えを乞うイメージです。

そして普通、メンターは年上です。

リバース・メンタリングはその前にリバース（逆）とあるので、ここでのメンターは年下です。つまり、年下の人に教えを乞うという仕組みを意味します。

コンピュータの2000年問題が心配されていた当時、GE（ゼネラルエレクトリック社）のCEOだったジャック・ウェルチが、トップのマネージャークラスに対し「これからのコンピュータの世界がどうなっていくのかを若手社員に教わりなさい」と指示したという逸話から生まれた言葉だといわれており、今ではアメリカでは普通につかわれているようです。ちなみにわたしは、英会話の勉強につかっているNHK『実践ビジネス英語』というラジオ講座のテキストで知りました。

日本では年下から学ぶことに違和感や抵抗感を覚える人はまだ多いようです。極端な場合は「部下から上司が教わったりすれば上司としての威厳が保てない」と考える管理職もいると聞きます。この概念が普及するにはまだ時間がかかるのかもしれません。

しかし、これからの大きな変化の時代に、そんなことをいっていては大きなチャンスを逃します。

たとえば、わたしの指導先で「白醤油」というユニークな商品をつくっているヤマシン醸造株式会社でこんなことがありました。同社の岡島晋一社長と製造、営業、技術の部長と一緒に、新商品の立ち上げに向けたカイゼンの話し合いをしていたときのことです。

その商品がどのように宣伝されているかを見ようと、スマホでヤマシン醸造株式会社のホームページにアクセスしたところ、スマホ仕様になっておらず、表示されたのはパソコン版の画面でした。今の時代、ホームページの半分以上はスマホで閲覧されると聞いていたので、その点を指摘してみたところ、4人のおじさんたち（実際にはわたし含め5人のおじさんたち）は、ほとんど理解できなかったのです。

わたしは、その直前の発表会で素晴らしいカイゼンを披露してくれた若い2人の女性技術者のことを思い出しました。そして「彼女たちに教えを乞いませんか。これはアメリカではリバース・メンタリングといわれている手法です」と提案してみました。「新入社員に教わるなんて！」と敬遠されるかもと心配したのですが、そんなことはなく快諾していただき、さっそくその場に来てもらいました。

すると驚くべきことがわかったのです。お2人は、以前から自社のホームページの宣伝力の低さを残念に思っていたといいます。それで仕事の空き時間を利用して、自社商品をつかった料理事例を掲載したInstagramとTwitter用のページ画面を自主的につくっていたのです。

彼女たちはその場で「仕事として認めてもらったうえで、仕事用のスマホを用意していただければ、今日からでもＳＮＳでの発信を始めます」と提案してくれました。５人のおじさんたちは心底驚き、もちろんその場で、若い２人のお師匠さまにそうしてもらうようお願いしたのです。

その後１年経ち、ＳＮＳは大いに広がり、売り上げに貢献しています。これをきっかけにおじさんたちも自分たちでＳＮＳを始め、ＩＣＴに対する理解も深まり、これまでの遅れはしっかり取り戻せました。

カイゼン４・０では、社長が新入社員の実行したカイゼンを現場で見て内容を教えてもらっていることなど日常茶飯事です。リバース・メンタリングなどと大げさにとらえるまでもなく、実行することができます。

おわりに　カイゼン４・０のすすめ

これからの時代は、ますます変化のスピードが上がっていくことと思います。

去年までなかったモノが今年になって登場し、今ないモノが来年には生まれるでしょう。すなわち、次に何が起きるかをまったく予想できない時代が来ているということです。

これまでもびっくりするようなことはしばしば起きてきました。しかし、これからはもっともっと起きると考えるべきでしょう。そのときあわてないためには、前もって準備をしておくことが必要です。


「何が起きるかわからない時代に何を準備すればいいのか？」

こう思われるかもしれません。

わたしの答えは明快です。

「何が起きても大丈夫なレベルのカイゼン力を身につけておくこと！」

本書でご紹介したカイゼン４・０を実践すれば、誰でも、どんな会社でも、これを身につけることができます。

「KZ法」ではモノを手がかりにカイゼンに目覚め、社長の参画で意識が変わり、「チョコ案」を通じてカイゼンに馴染み、気軽にアイデアを出し実行して進める、という体質が形成されれば、日常の仕事のなかにカイゼンが溶け込むことになります。やがてそこから素晴らしい変革が生まれ「日々カイゼン」の集団、組織が育っていくでしょう。

それは、どんな大きな変化が起きてもビクともしない体質を持ち、変化が大きければ大きいほど決断力と団結力が増し、さらにカイゼンのレベルを上げる組織です。

これまで日本のモノづくりは、整理整頓やムダ取りのカイゼンでコストを下げ、値段を下げてシェアを高め、量を売り、利益を出すというやり方をしてきたといえます。その結果、欧米の製造業と比較して、日本の製造業は利益率が低いまま推移して来ました。

しかし、国内マーケットが縮小し、さらにはユーザーインの時代になることを考えれば、従来のコストダウン中心のカイゼンだけでは戦えないことは明白です。

マーケットインからユーザーインという大変化への対応をするためには、欧米企業のような精緻な戦略と厳しい管理が必要だと思っておられた方も多いかもしれません。

しかし、カイゼン4・0はそれとはまったく違うアプローチです。

社長を含む全員が一緒にワイワイガヤガヤとカイゼンをおこない、そこから生まれる知恵やチームワークから意識改革を起こし、結果として経営改革につなげていくという日本でしかできないアプローチです。
そして第4章にも書いたように、欧米においても同様の動きがあります。これは、カイゼン4・0がこれからの時代の経営の方向を示している証左ではないでしょうか。

この本を書くにあたり、事例として取り上げさせていただいた5社の皆様を始め、じつに多くの会社の方々のサポートをいただきました。執筆中は私の恩師である中村善太郎慶應義塾大学名誉教授にご指導を仰ぎ続け、妻の佐保子と3人の子供たちには常に支えてもらいました。また、ここにお名前を書き切れないほど大勢の皆様方にもお世話になりました。そしてワニ・プラスの宮﨑洋一編集長に最後まで導いていただいて、このたび何とか完成にたどり着きました。心よりの感謝を申し上げます。
どうぞ、皆様でカイゼン4・0を実行して、より多くの経営成果を上げ、働く人をより幸せにし、お客様をさらに喜ばせてあげてください。

2019年12月

柿内幸夫

柿内幸夫（かきうち ゆきお）
1951年生まれ。東京工業大学工学部経営工学科卒業、スタンフォード大学大学院修士課程修了。工学博士、技術士（経営工学）。2004年日本経営工学会経営システム賞受賞、2018年経済産業省先進技術マイスター認定。日産自動車株式会社、改善コンサルタンツ株式会社を経て、現在、株式会社柿内幸夫技術士事務所代表。一般社団法人日本カイゼンプロジェクト会長なども務める。

株式会社柿内幸夫技術士事務所HP
https://www.kakiuchikaizen.com/

日本カイゼンプロジェクトHP
https://www.kaizenproject.jp/

スタンフォード発
企業にイノベーションを起こす
カイゼン4.0

2020年2月10日　初版発行

著　者　柿内幸夫

発行者　佐藤俊彦
発行所　株式会社ワニ・プラス
〒150-8482
東京都渋谷区恵比寿4-4-9　えびす大黑ビル7F
電話　03-5449-2171（編集）
発売元　株式会社ワニブックス
〒150-8482
東京都渋谷区恵比寿4-4-9　えびす大黑ビル
電話　03-5449-2711（代表）

ブックデザイン　吉田考宏
編集協力　古田 靖
DTP　小田光美（オフィスメイプル）
印刷・製本所　中央精版印刷株式会社

 ISBN 978-4-8470-9864-2　Printed in Japan

ワニブックスHP　https://www.wani.co.jp